ELECTRE

Né à Bellac (Haute-Vienne) en 1882, Jean Giraudoux fait ses études à Châteauroux et Paris. Ancien élève de l'Ecole Normale Supérieure, diplômé d'allemand, il commence en 1910 une brillante carrière diplomatique.
Il débute en littérature avec Provinciales *(1909). Mais c'est* Siegfried et le Limousin *(1922) et la pièce tirée du roman montée en 1928 par Louis Jouvet qui le font connaître.*
Cet écrivain, qui compte parmi les plus représentatifs de l'époque, apporte dès lors au théâtre le sens de la légende et l'humour déjà sensibles dans Elpénor *(1920) :* Amphitryon 38 *(1929),* Intermezzo *(1933),* La Guerre de Troie n'aura pas lieu *(1935),* Electre *(1937),* Ondine *(1939), etc. On créera* La Folle de Chaillot *et* Pour Lucrèce *après sa mort survenue le 31 janvier 1944.*

ŒUVRES DE JEAN GIRAUDOUX

Provinciales.
L'Ecole des Indifférents.
Simon le Pathétique, roman.
Siegfried et le Limousin, roman.
Bella, roman. Eglantine, roman.
Combat avec l'Ange, roman.
La France sentimentale.
Suzanne et le Pacifique, roman.
Juliette au pays des hommes.
Lectures pour une ombre.
Amica América. Adorable Clio. Elpénor.
Aventures de Jérôme Bardini, roman.
Textes choisis, réunis et présentés par René Lalou.
Les Cinq Tentations de La Fontaine.
Choix des élues, roman.
Littérature. Visitations.

Théâtre :

La Guerre de Troie n'aura pas lieu, pièce en 2 actes.
Electre, pièce en 2 actes.
Siegfried, pièce en 4 actes.
Amphitryon 38, pièce en 3 actes.
Intermezzo, pièce en 3 actes.
Fin de Siegfried, pièce en 1 acte.
Judith, pièce en 3 actes.
Supplément au voyage de Cook, pièce en 1 acte.
Tessa, pièce en 3 actes et 6 tableaux,
adaptation de *La Nymphe au cœur fidèle.*
L'Impromptu de Paris, pièce en 1 acte.
Ondine, pièce en 3 actes.
Sodome et Gomorrhe, pièce en 2 actes.
La Folle de Chaillot, pièce en 2 actes.
L'Apollon de Bellac, pièce en 1 acte.
Pour Lucrèce, pièce en 3 actes.
Fin de Siegfried, acte inédit.
Cantique des Cantiques, pièce en 1 acte.

Cinéma :

Le film de la Duchesse de Langeais.
Le film de Béthanie.

Dans Le Livre de Poche :

Bella. Ondine. Intermezzo.
Aventures de Jérome Bardini.
Juliette au pays des hommes.
La Guerre de Troie n'aura pas lieu.
Siegfried et le Limousin.
Amphitryon 38. La Folle de Chaillot.

JEAN GIRAUDOUX

Electre

PIÈCE EN DEUX ACTES

BERNARD GRASSET

PERSONNAGES

ELECTRE a été joué pour la première fois le jeudi 13 mai 1937 au théâtre Louis Jouvet (Athénée) sous la direction de Louis Jouvet et avec la distribution suivante :

ELECTRE : Renée Devillers.
CLYTEMNESTRE : Gabrielle Dorziat.
AGATHE : Madeleine Ozeray.
LA FEMME NARSÈS : Raymone.
LES EUMÉNIDES : Marthe Herlin, Monique Mélinand, Denise Pezzani.
LES PETITES EUMÉNIDES : Vera Pharès, Nicole Munie, Clairette Fournier.
LE MENDIANT : Louis Jouvet.
ÉGISTHE : Pierre Renoir.
LE PRÉSIDENT : Romain Bouquet.
ORESTE : Paul Cambo.
LE JARDINIER : Alfred Adam.
LE JEUNE HOMME : Jean Deninx.
LE CAPITAINE : Robert Bogar.
LE GARÇON D'HONNEUR : Maurice Castel.
LES MAJORDOMES : Julien Barrot, René Belloc.
UN MENDIANT : André Moreau.

INVITÉS VILLAGEOIS. SOLDATS. SERVITEURS.
ECUYERS ET SUIVANTES. MENDIANTES ET MENDIANTS :

Pamela Stirling. Emile Villard. Paul Ménager.
Robert Geller. Constant Darras. Fernand Bellan.
Roger Astruc.

Cour intérieure dans le palais d'Agamemnon.

Une musique de scène avait été composée pour la pièce par Vittorio Rieti. Le décor était de Guillaume Monin, les costumes de Dimitri Bouchene et Karinska.

ACTE PREMIER

SCÈNE PREMIÈRE

Un étranger (Oreste) entre escorté de trois petites filles, au moment où, de l'autre côté, arrivent le jardinier, en costume de fête, et les invités villageois.

PREMIÈRE PETITE FILLE

Ce qu'il est beau, le jardinier!

DEUXIÈME PETITE FILLE

Tu penses! C'est le jour de son mariage.

TROISIÈME PETITE FILLE

Le voilà, monsieur, votre palais d'Agamemnon!

L'ÉTRANGER

Curieuse façade!... Elle est d'aplomb?

PREMIÈRE PETITE FILLE

Non. Le côté droit n'existe pas. On croit le voir, mais c'est un mirage. C'est comme le jardinier qui vient là, qui veut vous parler. Il ne vient pas. Il ne va pas pouvoir dire un mot.

DEUXIÈME PETITE FILLE

Ou il va braire. Ou miauler.

LE JARDINIER

La façade est bien d'aplomb, étranger; n'écoutez pas ces menteuses. Ce qui vous trompe, c'est que le corps de droite est construit en pierres gauloises qui suintent à certaines époques de l'année. Les habitants de la ville disent alors que le palais pleure. Et que le corps de gauche est en marbre d'Argos, lequel, sans qu'on ait jamais su pourquoi, s'ensoleille soudain, même la nuit. On dit alors que le palais rit. Ce qui se passe, c'est qu'en ce moment le palais rit et pleure à la fois.

PREMIÈRE PETITE FILLE

Comme cela il est sûr de ne pas se tromper.

DEUXIÈME PETITE FILLE

C'est tout à fait un palais de veuve.

PREMIÈRE PETITE FILLE

Ou de souvenirs d'enfance.

L'ÉTRANGER

Je ne me rappelais pas une façade aussi sensible...

LE JARDINIER

Vous avez déjà visité le palais?

PREMIÈRE PETITE FILLE

Tout enfant.

DEUXIÈME PETITE FILLE

Il y a vingt ans.

TROISIÈME PETITE FILLE

Il ne marchait pas encore...

LE JARDINIER

On s'en souvient, pourtant, quand on l'a vu.

L'ÉTRANGER

Tout ce que je me rappelle, du palais d'Agamemnon, c'est une mosaïque. On me posait dans un losange de tigres quand j'étais méchant, et dans un hexagone de fleurs quand j'étais sage. Et je me rappelle le chemin qui me menait rampant de l'un à l'autre... On passait par des oiseaux.

PREMIÈRE PETITE FILLE

Et par un capricorne.

L'ÉTRANGER

Comment sais-tu cela, petite?

LE JARDINIER

Votre famille habitait Argos?

L'ÉTRANGER

Et je me rappelle aussi beaucoup, beaucoup de pieds nus. Aucun visage, les visages étaient haut dans le ciel, mais des pieds nus. J'essayais, entre les franges, de toucher leurs anneaux d'or. Certaines chevilles étaient unies par des chaînes; c'était les chevilles d'esclaves. Je me rappelle surtout deux pieds tout blancs, les plus nus, les plus blancs. Leur pas était toujours égal, sage, mesuré par une chaîne invisible. J'imagine que c'était ceux d'Électre. J'ai dû les embrasser, n'est-ce pas? Un nourrisson embrasse tout ce qu'il touche.

DEUXIÈME PETITE FILLE

En tout cas, c'est le seul baiser qu'ait reçu Electre.

LE JARDINIER

Pour cela, sûrement.

PREMIÈRE PETITE FILLE

Tu es jaloux, hein, jardinier?

L'ÉTRANGER

Elle habite toujours le palais, Electre?

DEUXIÈME PETITE FILLE

Toujours. Pas pour longtemps.

L'ÉTRANGER

C'est sa fenêtre, la fenêtre aux jasmins.

LE JARDINIER

Non. C'est celle de la chambre où Atrée, le premier roi d'Argos, tua les fils de son frère.

PREMIÈRE PETITE FILLE

Le repas où il servit leurs cœurs eut lieu dans la salle voisine. Je voudrais bien savoir quel goût ils avaient.

TROISIÈME PETITE FILLE

Il les a coupés, ou fait cuire entiers?

DEUXIÈME PETITE FILLE

Et Cassandre fut étranglée dans l'échauguette.

TROISIÈME PETITE FILLE

Ils l'avaient prise dans un filet et la poignardaient. Elle criait comme une folle, dans sa voilette... J'aurais bien voulu voir.

PREMIÈRE PETITE FILLE

Tout cela dans l'aile qui rit, comme tu le remarques.

L'ÉTRANGER

Celle avec les roses?

LE JARDINIER

Etranger, ne cherchez aucune relation entre les fenêtres et les fleurs. Je suis le jardinier du palais. Je les fleuris bien au hasard. Ce sont toujours des fleurs.

DEUXIÈME PETITE FILLE

Pas du tout. Il y a fleur et fleur. Le phlox va bien mal sur Thyeste.

TROISIÈME PETITE FILLE

Et le réséda sur Cassandre.

LE JARDINIER

Vont-elles se taire! La fenêtre avec les roses, étranger, est celle de la piscine où notre roi Agamemnon, le père d'Electre, glissa, revenant de la guerre, et se tua, tombant sur son épée.

PREMIÈRE PETITE FILLE

Il prit son bain après sa mort. A deux minutes près. Voilà la différence.

LE JARDINIER

La voilà, la fenêtre d'Electre.

L'ÉTRANGER

Pourquoi si haut, presque aux combles?

LE JARDINIER

Parce que, de cet étage, on voit le tombeau de son père.

L'ÉTRANGER

Pourquoi dans ce retrait?

LE JARDINIER

Parce que c'est l'ancienne chambre du petit Oreste, son frère, que sa mère envoya hors du pays quand il avait deux ans, et dont on n'a plus de nouvelles.

DEUXIÈME PETITE FILLE

Ecoutez, écoutez, mes sœurs! On parle du petit Oreste!

LE JARDINIER

Voulez-vous partir! Allez-vous nous laisser! On dirait des mouches.

PREMIÈRE PETITE FILLE

Nous ne partirons pas. Nous sommes avec l'étranger.

LE JARDINIER

Vous connaissez ces filles?

L'ÉTRANGER

Je les ai rencontrées aux portes. Elles m'ont suivi.

DEUXIÈME PETITE FILLE

Nous l'avons suivi parce qu'il nous plaît.

TROISIÈME PETITE FILLE

Parce qu'il est rudement plus beau que toi, jardinier.

PREMIÈRE PETITE FILLE

Les chenilles ne lui sortent pas de la barbe.

DEUXIÈME PETITE FILLE

Ni les hannetons du nez.

TROISIÈME PETITE FILLE

Pour que les fleurs sentent bon, il faut sans doute que le jardinier sente mauvais.

L'ÉTRANGER

Soyez polies, mes enfants, et dites-nous ce que vous faites dans la vie.

PREMIÈRE PETITE FILLE

Nous y faisons que nous ne sommes pas polies.

DEUXIÈME PETITE FILLE

Nous mentons. Nous médisons. Nous insultons.

PREMIÈRE PETITE FILLE

Mais notre spécialité, c'est que nous récitons.

L'ÉTRANGER

Vous récitez quoi?

PREMIÈRE PETITE FILLE

Nous ne le savons pas d'avance. Nous inventons à mesure. Mais c'est très bien, très bien.

DEUXIÈME PETITE FILLE

Le roi de Mycènes, dont nous avons injurié la belle-sœur, nous a dit que c'était très, très bien.

TROISIÈME PETITE FILLE

Nous disons tout le mal que nous pouvons trouver.

LE JARDINIER

Ne les écoutez pas, étranger. On ne sait qui elles sont. Elles circulent depuis deux jours dans la ville, sans amis connus, sans famille! Si on leur demande qui elles sont, elles prétendent s'appeler les petites Euménides. Et l'épouvantable, est qu'elles grandissent, qu'elles grossissent à vue d'œil... Hier, elles avaient des années de moins qu'aujourd'hui... Viens ici, toi!

DEUXIÈME PETITE FILLE

Ce qu'il est brusque, pour un marié!

LE JARDINIER

Regardez-la... Regardez ces cils qui poussent. Regardez sa gorge. Je m'y connais. Mes yeux savent voir pousser les champignons... Elle grandit sous les yeux..., à la vitesse d'une oronge...

DEUXIÈME PETITE FILLE

Les vénéneux battent tous les records.

TROISIÈME PETITE FILLE, à la première.

Elle grossit, ta gorge, à toi?

PREMIÈRE PETITE FILLE

Récitons-nous, oui ou non?

L'ÉTRANGER

Laissez-les réciter, jardinier.

PREMIÈRE PETITE FILLE

Récitons Clytemnestre, mère d'Electre. Vous y êtes, pour Clytemnestre?

DEUXIÈME PETITE FILLE

Nous y sommes.

PREMIÈRE PETITE FILLE

La reine Clytemnestre a mauvais teint. Elle se met du rouge.

DEUXIÈME PETITE FILLE

Elle a mauvais teint parce qu'elle a mauvais sommeil.

TROISIÈME PETITE FILLE

Elle a mauvais sommeil parce qu'elle a peur.

PREMIÈRE PETITE FILLE

De quoi a peur la reine Clytemnestre?

DEUXIÈME PETITE FILLE

De tout.

PREMIÈRE PETITE FILLE

Qu'est-ce, que tout?

DEUXIÈME PETITE FILLE

Le silence. Les silences.

TROISIÈME PETITE FILLE

Le bruit. Les bruits.

PREMIÈRE PETITE FILLE

L'idée qu'il va être minuit. Que l'araignée sur son fil est en train de passer de la partie du jour où elle porte bonheur à celle où elle porte malheur.

DEUXIÈME PETITE FILLE

Tout ce qui est rouge, parce que c'est du sang.

PREMIÈRE PETITE FILLE

La reine Clytemnestre a mauvais teint. Elle se met du sang!

LE JARDINIER

Quelles histoires stupides!

DEUXIÈME PETITE FILLE

C'est bien, n'est-ce pas?

PREMIÈRE PETITE FILLE

Comme nous rattrapons le commencement avec la fin, c'est on ne peut plus poétique?

L'ÉTRANGER

Très intéressant.

PREMIÈRE PETITE FILLE

Puisque Electre vous intéresse, nous pouvons réciter Electre. Vous y êtes, sœurs? Nous pouvons réciter ce qu'elle était, Electre, à notre âge.

DEUXIÈME PETITE FILLE

Je le pense, que nous y sommes!

TROISIÈME PETITE FILLE

Depuis que nous n'étions pas nées, depuis avant-hier, nous y sommes!

PREMIÈRE PETITE FILLE

Electre s'amuse à faire tomber Oreste des bras de sa mère.

DEUXIÈME PETITE FILLE

Electre cire l'escalier du trône pour que son oncle, Egisthe, le régent, s'étale sur le marbre!

TROISIÈME PETITE FILLE

Electre se prépare à cracher à la figure de son petit frère Oreste, si jamais il revient.

PREMIÈRE PETITE FILLE

Cela, ce n'est pas vrai. Mais ça fait bien.

DEUXIÈME PETITE FILLE

« *Depuis dix-neuf ans elle amasse*
« *Dans sa bouche un crachat fielleux.* »

TROISIÈME PETITE FILLE

« *Elle pense à tes limaces,*
« *Jardinier, pour saliver mieux.* »

LE JARDINIER

Cette fois, taisez-vous, sales petites vipères!

DEUXIÈME PETITE FILLE

Ah là! là! Le marié se fâche.

L'ÉTRANGER

Il a raison. Filez!

LE JARDINIER

Et ne revenez pas!

PREMIÈRE PETITE FILLE

Nous reviendrons demain.

LE JARDINIER

Essayez! Le palais est interdit aux filles de votre âge!

PREMIÈRE PETITE FILLE

Demain nous serons grandes.

DEUXIÈME PETITE FILLE

Demain sera le lendemain du mariage d'Electre avec son jardinier. Nous serons grandes.

L'ÉTRANGER

Que disent-elles?

PREMIÈRE PETITE FILLE

Tu ne nous as pas défendues, étranger, tu t'en repentiras!

LE JARDINIER

Affreuses petites bêtes. On dirait trois petites Parques! C'est effroyable le destin enfant.

DEUXIÈME PETITE FILLE

Le destin te montre son derrière, jardinier. Regarde s'il grossit!

PREMIÈRE PETITE FILLE

Venez, sœurs. Laissons-les tous deux devant leur façade gâteuse.

Sortent les petites Euménides, devant qui s'écartent avec terreur les invités.

SCÈNE DEUXIÈME

L'étranger, le jardinier, le président du tribunal et sa jeune femme, Agathe Théocathoclès, les villageois.

L'ÉTRANGER

Que disent ces filles! Que tu épouses Electre, toi, le jardinier?

LE JARDINIER

Elle sera ma femme dans une heure.

AGATHE THÉOCATHOCLÈS

Il ne l'épousera pas. Nous venons pour l'en empêcher.

LE PRÉSIDENT

Jardinier, je suis ton cousin éloigné, et second président du tribunal. Puisque je peux, à double titre, te donner un conseil, fuis vers tes radis et tes courges, n'épouse pas Electre.

LE JARDINIER

C'est l'ordre d'Egisthe.

L'ÉTRANGER

Suis-je fou? Si Agamemnon vivait, le mariage d'Electre serait la cérémonie de la Grèce, et Egisthe la donne à un jardinier, dont même la famille proteste! Vous n'allez pas me dire qu'Electre est laide, ou bossue!

LE JARDINIER

Electre est la plus belle fille d'Argos.

AGATHE THÉOCATHOCLÈS

Enfin, elle n'est pas mal.

LE PRÉSIDENT

Et pour droite elle est droite. Comme toutes les fleurs qui ne croient point au soleil.

L'ÉTRANGER

Est-elle alors arriérée, sans esprit?

LE PRÉSIDENT

L'intelligence même.

AGATHE

Beaucoup de mémoire surtout. Ce n'est pas toujours la même chose. Moi je n'ai pas de mémoire. Excepté pour ton anniversaire, chéri. Cela, je ne l'oublie jamais.

L'ÉTRANGER

Que peut-elle faire alors, que peut-elle dire, pour qu'on la traite ainsi?

LE PRÉSIDENT

Elle ne fait rien. Elle ne dit rien. Mais elle est là.

AGATHE

Elle est là.

L'ÉTRANGER

C'est son droit. C'est le palais de son père. Ce n'est pas de sa faute s'il est mort.

LE JARDINIER

Jamais je n'aurais eu l'audace de songer à épouser Electre, mais puisque Egisthe l'ordonne, je ne vois pas ce que j'ai à craindre.

LE PRÉSIDENT

Tu as tout à craindre, c'est le type de la femme à histoires.

AGATHE

Et s'il ne s'agissait que de toi! Notre famille a tout à craindre!

LE JARDINIER

Je ne te comprends pas.

LE PRÉSIDENT

Tu vas la comprendre : la vie peut être très agréable n'est-ce pas?

AGATHE

Très agréable... Infiniment agréable!

LE PRÉSIDENT

Ne m'interromps pas, chérie, surtout pour dire la même chose... Elle peut être très agréable. Tout a plutôt tendance à s'arranger dans la vie. La peine morale s'y cicatrise autrement vite que l'ulcère, et le deuil que l'orgelet. Mais prends au hasard deux groupes d'humains : chacun contient le même dosage de crime, de mensonge, de vice ou d'adultère...

AGATHE

C'est un bien gros mot, adultère, chéri...

LE PRÉSIDENT

Ne m'interromps pas, surtout pour me contredire. D'où vient que dans l'un l'existence s'écoule douce, correcte, les morts s'oublient, les vivants s'accommodent d'eux-mêmes, et que dans l'autre, c'est l'enfer? C'est simplement que dans le second il y a une femme à histoires.

L'ÉTRANGER

C'est que le second a une conscience.

AGATHE

J'en reviens à ton mot adultère. C'est quand même un bien gros mot!

LE PRÉSIDENT

Tais-toi, Agathe. Une conscience! Croyez-vous! Si les coupables n'oublient pas leurs fautes, si les vaincus n'oublient pas leurs défaites, les vainqueurs leurs victoires, s'il y a des malédictions, des brouilles, des haines, la faute n'en revient pas à la conscience de l'humanité, qui est toute propension vers le compromis et l'oubli, mais à dix ou quinze femmes à histoires!

L'ÉTRANGER

Je suis bien de votre avis. Dix ou quinze femmes à histoires ont sauvé le monde de l'égoïsme.

LE PRÉSIDENT

Elles l'ont sauvé du bonheur! Je la connais Electre! Admettons qu'elle soit ce que tu dis, la justice, la générosité, le devoir. Mais c'est avec la justice, la générosité, le devoir, et non avec l'égoïsme et la facilité, que l'on ruine l'état, l'individu et les meilleures familles.

AGATHE

Absolument... Pourquoi, chéri? Tu me l'as dit, j'ai oublié!...

LE PRÉSIDENT

Parce que ces trois vertus comportent le seul élément vraiment fatal à l'humanité, l'acharnement. Le bonheur n'a jamais été le lot de ceux qui s'acharnent. Une famille heureuse, c'est une reddition locale. Une époque heureuse, c'est l'unanime capitulation.

L'ÉTRANGER

Vous vous êtes rendu, vous, à la première semonce?

LE PRÉSIDENT

Hélas non! Un autre a été plus rapide. Aussi ne suis-je que second président.

LE JARDINIER

Contre quoi s'acharne Electre? Elle va chaque nuit sur la tombe de son père, et c'est tout?

LE PRÉSIDENT

Je sais. Je l'ai suivie. Sur le même parcours où ma

profession m'avait fait suivre une nuit notre plus dangereux assassin, le long du fleuve, j'ai suivi, pour voir, la plus grande innocence de Grèce. Affreuse promenade, à côté de la première. Ils s'arrêtaient aux mêmes places; l'if, le coin de pont, la borne milliaire font les mêmes signes à l'innocence et au crime. Mais, du fait que l'assassin était là, la nuit en devenait candide, rassurante, sans équivoque. Il était le noyau qu'on a retiré du fruit, et qui ne risque plus, dans la tarte, de vous casser les dents. La présence d'Electre au contraire brouillait lumière et nuit, rendait équivoque jusqu'à la pleine lune. Tu as vu un pêcheur qui, la veille de sa pêche dispose ses appâts? Le long de cette rivière noire, c'était elle. Et chaque soir, elle va ainsi appâter tout ce qui sans elle eût quitté cette terre d'agrément et d'accommodement, les remords, les aveux, les vieilles taches de sang, les rouilles, les os de meurtres, les détritus de délation... Quelque temps encore, et tout sera prêt, tout grouillera... Le pêcheur n'aura plus qu'à passer.

L'ÉTRANGER

Il passe toujours, tôt ou tard.

LE PRÉSIDENT

Erreur! Erreur!

AGATHE, très occupée du jeune étranger.

Erreur!

LE PRÉSIDENT

Cette enfant elle-même voit le défaut de votre argument. Sur nos fautes, nos manques, nos crimes, sur la vérité, s'amasse journellement une triple couche de terre, qui étouffe leur pire virulence : l'oubli, la mort, et la justice des hommes. Il est fou de ne pas s'en remettre à eux. C'est horrible, un pays où, par la faute du redresseur de torts solitaire, on sent les fantômes, les tués en demi sommeil, où il n'y a jamais remise pour les défaillances et les parjures, où imminent toujours le revenant et le vengeur. Quand le sommeil des coupables continue, après la prescription légale, à être plus agité que le sommeil des innocents, une société est bien compromise. A voir Electre je sens s'agiter en moi les fautes que j'ai commises au berceau.

AGATHE

Moi, mes futures fautes. Je n'en commettrai jamais, chéri. Tu le sais bien. Surtout cet adultère, comme tu t'entêtes à le nommer... Mais elles me tourmentent déjà.

LE JARDINIER

Moi, je suis un peu de l'avis d'Electre. Je n'aime pas beaucoup les méchants. J'aime la vérité.

LE PRÉSIDENT

La sais-tu, la vérité de notre famille, pour lui réclamer ainsi le grand jour! Famille tranquille, estimée, en pleine ascension; — tu ne me contrediras pas si j'avance que tu en es le rameau le plus médiocre, — mais je sais par expérience qu'il convient de ne pas s'aventurer plus sur de pareilles façades que sur la glace. Je ne te donne pas dix jours, si Electre devient notre cousine, pour qu'il soit découvert, — j'invente au hasard, — que notre vieille tante a étranglé jeune fille son nouveau-né, pour qu'on le révèle à son mari, et, afin de calmer cet énergumène, qu'on ne doive plus rien lui celer des attentats à la pudeur de son grand-père. Cette petite Agathe, qui est pourtant la gaieté même, n'en dort plus. Tu es le seul à ne pas le voir, le truc d'Egisthe. Il veut repasser sur la famille des Théocathoclès tout ce qui risque de jeter quelque jour un lustre fâcheux sur la famille des Atrides.

L'ÉTRANGER

Qu'a-t-elle à craindre, la famille des Atrides?

LE PRÉSIDENT

Rien. Rien que je sache. Mais elle est comme toute famille heureuse, comme tout couple puissant, comme tout individu satisfait. Elle a à craindre l'ennemi le plus redoutable du monde, qui ne laissera rien d'elle, qui la rongera jusqu'aux os, l'alliée d'Electre : la justice intégrale.

LE JARDINIER

Electre adore mon jardin. Les fleurs, si elle est un peu nerveuse, lui feront du bien.

AGATHE

Mais elle ne fera pas de bien aux fleurs.

LE PRÉSIDENT

Sûrement! Tu vas les connaître enfin, tes fuschias et tes géraniums. Tu vas les voir cesser d'être d'aimables symboles, et exercer à leur compte leur fourberie ou leur ingratitude. Electre au jardin, c'est la justice et la mémoire entre les fleurs, c'est la haine.

LE JARDINIER

Electre est pieuse. Tous les morts sont pour elle.

LE PRÉSIDENT

Les morts! Ah! je les entends les morts, le jour où leur sera annoncée l'arrivée d'Electre. Je les vois, les assassinés demi fondus déjà avec les assassins, les ombres des volés et des dupes doucement emmêlées aux ombres des voleurs, les familles rivales éparses et déchargées les unes dans les autres, s'agiter et se dire : Ah! mon Dieu, voici Electre. Nous étions si tranquilles!

AGATHE

Voici Electre!

LE JARDINIER

Non. Pas encore. Mais c'est Egisthe. Laissez-nous, étranger. Egisthe n'aime pas beaucoup les visages d'hommes inconnus.

LE PRÉSIDENT

Et toi aussi, Agathe. Il ne déteste pas assez les visages de femmes connus.

AGATHE, vivement intéressée par le beau visage de l'étranger.

Vous montré-je la route, bel étranger?

Egisthe entre, sous les vivats des invités, cependant que des serviteurs installent son trône, et appliquent contre une colonne un escabeau.

SCÈNE TROISIÈME

EGISTHE, le président, le jardinier, serviteurs.

EGISTHE

Pourquoi cet escabeau? Que vient faire cet escabeau?

SERVITEUR

C'est pour le mendiant, seigneur.

EGISTHE

Pour quel mendiant?

SERVITEUR

Pour le dieu, si vous voulez. Pour ce mendiant qui circule depuis quelques jours dans la ville. Jamais on n'a vu de mendiant aussi parfait comme mendiant, aussi le bruit court que ce doit être un dieu. On le laisse entrer où il veut. Il rôde en ce moment autour du palais.

EGISTHE

Il change le grain en or, dans les maisons? Il engrosse les bonnes?

SERVITEUR

Il n'y commet aucun dommage.

EGISTHE

Singulière divinité... Les prêtres n'ont pas su voir encore si c'était un gueux ou Jupiter?

SERVITEUR

Les prêtres demandent qu'on ne leur pose pas la question.

EGISTHE

Nous laissons l'escabeau, mes amis?

LE PRÉSIDENT

Je crois que finalement cela revient moins cher d'honorer un mendiant que d'humilier un dieu.

EGISTHE

Laisse l'escabeau. Mais s'il vient, préviens nous. Nous aurions à être strictement entre humains pendant un petit quart d'heure. Et ne le brusque pas. Peut-être est-ce le délégué des dieux au mariage d'Electre. A ce mariage, que notre président considère comme un opprobre pour sa famille, s'invitent les dieux.

LE PRÉSIDENT

Seigneur...

EGISTHE

Ne proteste pas, j'ai tout entendu. L'acoustique de ce palais est remarquable... Son architecte voulait, paraît-il, écouter les réflexions du conseil sur ses honoraires et son pourcentage, et il l'a rempli de cachettes sonores...

LE PRÉSIDENT

Seigneur...

EGISTHE

Tais-toi. Je sais ce que tu vas me dire au nom de ta brave et honnête famille, au nom de ta digne belle-sœur l'infanticide, de ton oncle respecté le satyre, et de ton déférent neveu, le calomniateur.

LE PRÉSIDENT

Seigneur...

EGISTHE

L'officier, dans la bataille, auquel on passe le plumet du roi pour détourner les coups des ennemis, l'arbore avec plus d'enthousiasme... Tu perds ton temps, le jardinier épousera Electre...

SERVITEUR

Voici le mendiant, seigneur.

EGISTHE

Retiens le un moment. Offre-lui à boire. Le vin est à deux fins, pour le mendiant et pour le dieu.

SERVITEUR

Dieu ou mendiant, il est déjà ivre.

EGISTHE

Alors qu'il entre; il ne nous comprendra pas, bien que nous ayons justement à parler des dieux. Cela peut même être curieux d'en parler devant lui. Ta théorie d'Electre est assez juste, président, mais elle est bien spéciale, elle est bourgeoise. En tant que régent, permets-moi de t'élever aux idées générales... Tu crois aux dieux, président?

Cependant le mendiant est entré, dirigé par le serviteur et, avec des saluts empruntés, s'installe peu à peu sur l'escabeau, distrait pendant toute la première partie de la scène, et regardant autour de lui.

LE PRÉSIDENT

Et vous-même, seigneur?

EGISTHE

Cher président, je me suis demandé souvent si je croyais aux dieux. Je me le suis demandé parce que c'est vraiment le seul problème qu'un homme d'Etat se doive de tirer au clair vis-à-vis de soi-même. Je crois aux dieux. Ou plutôt je crois que je crois aux dieux. Mais je crois en eux non pas comme en de grandes attentions et de grandes surveillances, mais comme en de grandes distractions. Entre les espaces et les durées, toujours en flirt, entre les gravitations et les vides, toujours en lutte, il est de grandes indifférences, qui sont les dieux. Je les imagine, non point occupés sans relâche de cette moisissure suprême et mobile de la terre qu'est l'humanité, mais parvenus, à un tel grade de sérénité et d'ubiquité, qu'il ne peut plus être que la béatitude c'est-à-dire l'inconscience. Ils sont inconscients au sommet de l'échelle de toutes créatures comme l'atome est inconscient à leur degré le plus bas. La différence est que c'est une inconscience fulgurante, omnisciente, taillée à mille faces; et à leur état normal de diamants, atones et sourds ils ne répondent qu'aux lumières, qu'aux signes, et sans les comprendre.

Le mendiant, enfin installé, se croit tenu d'applaudir.

LE MENDIANT

Bien dit. Bravo.

EGISTHE

Merci... D'autre part, président, il est incontestable qu'éclatent parfois dans la vie des humains des interventions dont l'opportunité ou l'amplitude peut laisser croire à un intérêt ou à une justice extrahumaine. Elles ont ceci d'extrahumain, de divin, qu'elles sont un travail en gros, nullement ajusté... La peste éclate bien lorsqu'une ville a péché par impiété ou par folie, mais elle ravage la ville voisine, particulièrement sainte. La guerre se déchaîne quand un peuple dégénère et s'avilit, mais elle dévore les derniers justes, les derniers courageux, et sauve les plus lâches. Ou bien, quelle que soit la faute, où qu'elle soit commise, c'est le même pays ou la même famille qui paye, innocente ou coupable. Je connais une mère de sept enfants qui avait l'habitude de fesser toujours le même, c'était une mère divine. Cela correspond bien à ce que nous pensons des dieux, que ce sont des boxeurs aveugles, des fesseurs aveugles, tout satisfaits de retrouver les mêmes joues à gifle et les mêmes fesses. On peut même s'étonner, si l'on estime l'ahurissement que comporte un éveil soudain de la béatitude, que leurs coups ne soient pas plus divagants... Que ce soit la femme du juste qu'assomme un volet par grand vent, et non celle du parjure, que l'accident s'acharne sur les pèlerinages et non sur les bandes, en général, c'est toujours l'humanité qui prend... Je dis en général. On voit parfois les corneilles ou les daims succomber sous des épidémies inexplicables : c'est peut-être que le coup destiné aux hommes a porté trop haut ou trop bas. Quoi qu'il en soit, il est hors de doute que la règle première de tout chef d'un Etat est de veiller férocement à ce que les dieux ne soient point secoués de cette léthargie et de limiter leurs dégâts à leurs réactions de dormeurs, ronflement ou tonnerre.

LE MENDIANT

Bravo, c'est très clair! J'ai très bien compris!

EGISTHE

J'en suis ravi.

LE MENDIANT

C'est la vérité même. Un exemple. Voyez, pour ceux qui marchent sur les routes. Il y a des époques où tous les cent pas vous trouvez un hérisson mort. Ils traversent les routes la nuit, par dizaines, hérissons et hérissonnes qu'ils sont, et ils se font écraser... Vous pensez, les veilles de foire. Vous me direz qu'ils sont idiots, qu'ils pouvaient trouver leur mâle ou leur femelle de ce côté-ci de l'accotement. Je n'y peux rien : l'amour pour les hérissons consiste d'abord à franchir une route... Qu'est ce que diable je voulais dire?... J'ai perdu mon fil... Continuez... Cela me reviendra...

EGISTHE

En effet! Qu'est-ce qu'il veut dire?

LE PRÉSIDENT

Si nous parlions d'Electre, seigneur?

EGISTHE

Mais de quoi crois-tu que nous parlions, de notre charmante petite Agathe? Nous ne parlons que d'Electre, président, de la nécessité où je suis pour votre bonheur à tous, de distraire Electre de la famille royale... Pourquoi, depuis que je suis régent, alors que les autres villes se consument dans les dissensions, les autres citoyens dans les crises morales, sommes-nous seuls satisfaits des autres et de nous-mêmes? Pourquoi chez nous cet afflux de richesse? Pourquoi dans Argos seulement le prix des matières premières est-il au plus haut et les prix des objets de détail au plus bas? Pourquoi exportons-nous plus de vaches et pourquoi cependant le beurre diminue-t-il? Pourquoi les orages survolent-ils nos vignes, les hérésies nos temples, les fièvres aphteuses nos étables... Parce que, dans la cité, j'ai mené une guerre sans merci à ceux qui faisaient signe aux dieux...

LE PRÉSIDENT

Qu'appelez-vous faire signe aux dieux, Egisthe?

LE MENDIANT

Voilà! J'ai retrouvé!

EGISTHE

Vous avez retrouvé quoi?

LE MENDIANT

Mon histoire, le fil de mon histoire... Je parlais de la mort des hérissons...

EGISTHE

Une minute, voulez-vous. Nous parlons des dieux.

LE MENDIANT

Comment donc!... C'est une question de préséance : les dieux d'abord, les hérissons ensuite... Je me demande seulement si je me rappellerai.

EGISTHE

Il n'est pas deux façons de faire signe, président : c'est se séparer de la troupe, monter sur une éminence, et agiter sa lanterne ou son drapeau. On trahit la terre comme on trahit une place assiégée, par des signaux. Le philosophe les fait, de sa terrasse, le poète ou le désespéré les fait, de son balcon ou de son plongeoir. Si les dieux depuis dix ans, n'arrivent point à se mêler de notre vie, c'est que j'ai veillé à ce que les promontoires soient vides et les champs de foire combles, c'est que j'ai ordonné le mariage des rêveurs, des peintres et des chimistes; c'est que, pour éviter de créer entre nos citoyens ces différences de race morale qui ne peuvent manquer de colorer différemment les hommes aux yeux des dieux, j'ai toujours feint d'attribuer une importance énorme aux délits et dérisoire aux crimes. Rien n'entretient mieux la fixité divine que la même atmosphère égale autour des assassinats et des vols de pain. Je dois reconnaître que sur ce point la justice des tribunaux m'a abondamment secondé. Et toutes les fois où j'ai été obligé de sévir, de là-haut on ne l'a point vu. Aucune de mes sanctions n'a été assez voyante pour permettre aux dieux l'ajustement de leur vengeance. Pas d'exil. Je tue. L'exilé a la même tendance à grimper les chemins escarpés que la coccinelle. Et je ne monte pas mes supplices en évidence. Alors que nos pauvres villes voisines se trahissent elles-mêmes en érigeant leur gibet au faîte des collines, moi je crucifie au fond des vallées. Et maintenant, j'ai tout dit sur Electre...

LE JARDINIER

Qu'avez-vous dit?

EGISTHE

Qu'il n'y a plus présentement dans Argos qu'un être pour faire signe aux dieux, et c'est Electre... (*Au mendiant qui s'agite entre les invités*)... Que se passe-t-il?

LE MENDIANT

Il ne se passe rien, mais il vaut mieux que je vous sorte mon histoire maintenant... Dans cinq minutes, comme vous parlez, elle n'aura plus de sens du tout. C'est pour confirmer ce que vous dites! De ces hérissons écrasés, vous en voyez des dizaines qui ont bien l'air d'avoir eu une mort de hérissons. Leur museau aplati par le pied du cheval, leurs piquants éclatés sous la roue, ce sont des hérissons crevés et c'est tout. Ils sont crevés, en raison de la faute originelle des hérissons, qui est de traverser les chemins départementaux ou vicinaux sous prétexte que la limace ou l'œuf de perdrix a plus de goût de l'autre côté, en réalité pour y faire l'amour des hérissons. Cela les regarde. On ne s'en mêle pas. Et soudain vous en trouvez un, un petit jeune, qui n'est pas étendu tout à fait comme les autres, bien moins salement, la petite patte tendue, les babines bien fermées, bien plus digne, et celui-là on a l'impression qu'il n'est pas mort en tant que hérisson, mais qu'on l'a frappé à la place d'un autre, à votre place. Son petit œil froid, c'est votre œil. Ses piquants, c'est votre barbe. Son sang, c'est votre sang. Je les ramasse toujours ceux-là, d'autant plus que ce sont les plus jeunes, les plus tendres à manger. Passé un an, le hérisson ne se sacrifie plus pour l'homme... Vous voyez que j'ai bien compris. Les dieux se sont trompés, ils voulaient frapper un parjure, un voleur, et ils vous tuent un hérisson... Un jeune...

EGISTHE

Très bien compris.

LE MENDIANT

Et ce qui est vrai pour les hérissons, c'est vrai pour les autres espèces.

LE PRÉSIDENT

Bien sûr! Bien sûr!

LE MENDIANT

Comment, bien sûr? C'est complètement faux. Prenez la fouine. Tout président du tribunal que vous êtes, vous n'allez pas prétendre que vous avez vu des fouines mourir pour vous?

EGISTHE

Vous permettez que nous continuions à parler d'Electre?

LE MENDIANT

Parlez! Parlez! D'ailleurs, réciproquement, je dois dire que quand vous voyez des hommes morts, beaucoup ont l'air d'être morts pour des bœufs, des porcs, des tortues, et pas beaucoup pour les hommes. Un homme qui a l'air d'être mort pour les hommes, je peux le dire, cela se cherche... Ou même pour son propre compte... On va la voir?

EGISTHE

Voir qui?

LE MENDIANT

Electre... Je voudrais bien la voir avant qu'on la tue.

EGISTHE

Tuer Electre? Qui parle de tuer Electre?

LE MENDIANT

Vous.

LE PRÉSIDENT

Jamais il n'a été question de tuer Electre!

LE MENDIANT

Moi, j'ai une qualité. Je ne comprends pas les paroles des gens. Je n'ai pas d'instruction. Je comprends les gens... Vous voulez tuer Electre.

LE PRÉSIDENT

Vous ne comprenez pas du tout, inconnu. Cet homme est Egisthe, le cousin d'Agamemnon, et Electre est sa nièce chérie.

LE MENDIANT

Est-ce qu'il y a deux Electre? Celle dont il a parlé, qui va tout gâter, et une seconde, qui est sa nièce chérie?

LE PRÉSIDENT

Non! Il n'y en a qu'une.

LE MENDIANT

Alors, il veut la tuer! Il n'y a aucun doute. Il veut tuer sa nièce chérie.

LE PRÉSIDENT

Je vous assure que vous ne comprenez pas!

LE MENDIANT

Moi, je roule beaucoup. Je connaissais une famille Narsès... Elle, bien mieux que lui... Elle était malade, elle avalait de l'air... Mais bien mieux que lui... Aucune comparaison.

LE JARDINIER

Il a bu, c'est un mendiant.

LE PRÉSIDENT

Il rabâche, c'est un dieu.

LE MENDIANT

Non. C'est pour vous dire qu'on leur avait donné une petite louve. C'était leur petite louve chérie. Mais un jour, à midi, les petites louves, tout à coup, deviennent de grandes louves... Ils n'ont pas su prévoir le jour... A midi moins deux, elle les caressait. A midi une, elle les étranglait. Lui, ça m'était bien égal.

EGISTHE

Et alors?

LE MENDIANT

Alors je passais. J'ai tué la louve. Elle commençait à manger les joues de Narsès. Elle n'était pas dégoûtée. La femme Narsès s'en est tirée. Elle ne va pas mal; je vous remercie. Vous allez la voir. Elle va venir me chercher tout à l'heure.

EGISTHE

Où est le rapport?

LE MENDIANT

Oh, ne vous attendez pas à voir la reine des Amazones. Cela vous vieillit l'œil, les varices.

LE PRÉSIDENT

On vous demande où est le rapport?

LE MENDIANT

Le rapport? C'est que j'imagine que cet homme, puisqu'il est chef d'Etat, est quand même plus intelligent que Narsès... La bêtise de Narsès, personne ne peut se la figurer. Narsès, je n'ai jamais pu lui apprendre à fumer un cigare autrement que par le bout allumé... Et les nœuds? C'est la première chose de savoir faire les nœuds, dans la vie... Si vous faites une boucle là où il faut faire un nœud, et l'inverse, vous êtes perdu. Votre monnaie part, vous prenez froid, vous vous étranglez, votre bateau file ou coince, vous ne pouvez plus retirer vos souliers... Je dis cela pour ceux qui les retirent... Et les lacets? Songez que Narsès était braconnier...

LE PRÉSIDENT

Nous vous demandons où est le rapport?

LE MENDIANT

Le voilà, le rapport. Si donc cet homme se méfie de sa nièce, s'il sait qu'un de ces jours, tout à coup, elle va faire son signal, comme il dit, elle va commencer à mordre et à mettre la ville sens dessus dessous, et monter le prix du beurre, et faire arriver la guerre, et cœtera, il n'a pas à hésiter. Il doit la tuer raide avant qu'elle se déclare... Quand se déclare-t-elle?

LE PRÉSIDENT

Comment?

LE MENDIANT

Quel jour, à quelle heure se déclare-t-elle? Quel jour devient-elle louve? Quel jour devient-elle Electre?

LE PRÉSIDENT

Mais rien ne dit qu'elle deviendra louve?

LE MENDIANT, désignant Egisthe.

Si! Lui le pense. Lui le dit.

LE JARDINIER

Electre est la plus douce des femmes.

LE MENDIANT

La louve Narsès était la plus douce des louves.

LE PRÉSIDENT

Cela ne signifie rien, votre mot « se déclarer »

LE MENDIANT

Il ne signifie rien, mon mot se déclarer? Qu'est-ce que vous comprenez, alors, dans la vie! Le vingt-neuf de mai, quand vous voyez tout à coup les guérets grouillant de milliers de petites boules jaunes, rouges et vertes, qui voltigent, qui piaillent, qui se disputent chaque ouate de chardon et qui ne se trompent pas, et qui ne volent pas après la bourre du pissenlit, il ne se déclare pas, le chardonneret? Et le quatorze de juin quand, dans les coudes de rivière, vous voyez sans vent et sans courant deux roseaux remuer, toujours les mêmes, remuer sans arrêt jusqu'au quinze de juin, — et sans bulle, comme pour la tanche et la carpe —, il ne se déclare pas, le brochet? Et ils ne se déclarent pas, les juges comme vous, le jour de leur première condamnation à mort, au moment où le condamné sort, la tête distraite, quand ils sentent passer le goût du sang sur leurs lèvres. Tout se déclare, dans la nature! Jusqu'au roi. Et même la question, aujourd'hui, si vous voulez m'en croire, est de savoir si le roi se déclarera dans Egisthe avant qu'Electre ne se déclare dans Electre. Il faut donc qu'il sache le jour où cela arrivera pour la petite, afin de pouvoir la tuer la veille, au fond d'une vallée, comme il dit, ou au fond de la plus petite vallée, c'est le plus commode et le moins visible, dans sa baignoire...

LE PRÉSIDENT

Il est effroyable!

EGISTHE

Tu oublies le mariage, mendiant...

LE MENDIANT

C'est vrai. J'oublie le mariage. Mais pour tuer quelqu'un, c'est quand même moins sûr que la mort. D'autant qu'une fille comme elle, sensible, avec du retard, et cœtera, elle se déclarera sûrement à la minute où un homme la prendra pour la première fois dans ses bras... Vous la mariez?

EGISTHE

A l'instant, ici même.

LE MENDIANT

Pas avec un roi d'autre ville, j'espère?

EGISTHE

Je m'en garde. Avec le jardinier.

LE PRÉSIDENT

Avec ce jardinier.

LE MENDIANT

Elle l'accepte? Moi, je ne me déclarerais pas dans les bras d'un jardinier. Mais chacun son goût. Moi, je me suis déclaré à Corfou, place de la fontaine, dans la boulangerie sous les platanes. Il fallait me voir ce jour-là! Dans chaque plateau de la balance je pesais une main de la boulangère. Jamais elles ne pesaient le même poids... Je faisais l'appoint à droite avec de la farine, à gauche avec du gruau... Où habite-t-il le jardinier?

LE JARDINIER

En dehors des remparts.

LE MENDIANT

En village?

LE JARDINIER

Non. Ma maison est seule.

LE MENDIANT, à Egisthe.

Bravo! Je vois votre idée. Elle n'est pas mauvaise. C'est assez facile à tuer, une femme de jardinier. Beaucoup plus facile qu'une princesse en son palais.

LE JARDINIER

Je vous en prie, qui que vous soyez...

LE MENDIANT

Tu ne me diras pas qu'on n'enterre pas beaucoup plus vite dans du terreau que dans du marbre?

LE JARDINIER

Qu'allez-vous imaginer? D'ailleurs, pas une minute elle ne sera hors de ma vue.

LE MENDIANT

Courbe-toi pour piquer un poireau. Repique-le parce que tu es tombé sur une motte. La mort est passée!

LE PRÉSIDENT

Inconnu, je ne sais pas si vous vous rendez bien compte du milieu où vous êtes. Vous êtes dans le palais d'Agamemnon, dans la famille d'Agamemnon.

LE MENDIANT

Je vois ce que je vois, je vois que cet homme a peur, qu'il vit avec la peur, la peur d'Electre.

EGISTHE

Mon cher hôte, ne nous égarons pas. Je ne dissimule point qu'Electre m'inquiète. Je sens que les ennuis et les malheurs abonderont du jour où elle se déclarera, comme tu dis, dans la famille des Atrides. Et pour tous, car tout citoyen est atteint de ce qui frappe la famille royale. C'est pour cela que je la passe à une famille invisible des dieux, amorphe, et dans laquelle ni ses yeux ni ses gestes n'auront plus de phosphore, où le ravage restera local et bourgeois, à la famille des Théocathoclès.

LE MENDIANT

Bonne idée. Bonne idée. Encore faut-il que cette famille soit particulièrement amorphe.

EGISTHE

Elle l'est, et je veillerai à ce qu'elle le demeure. Je

veillerai à ce qu'aucun Théocathoclès ne se distingue par le talent et le courage. Pour l'audace et le génie, je leur remets sans appréhension ce soin à eux-mêmes.

LE MENDIANT

Méfiez-vous. La petite Agathe n'est pas très mal. La beauté aussi fait signe.

LE PRÉSIDENT

Je vous prie de laisser Agathe hors du débat.

LE MENDIANT

C'est vrai qu'on peut toujours lui frotter le visage avec du vitriol.

LE PRÉSIDENT

Seigneur...

EGISTHE

La cause est entendue.

LE PRÉSIDENT

Mais je me place au point de vue du destin même, Egisthe!... Ce n'est quand même pas une maladie!... Croyez-vous donc qu'il soit transmissible!

LE MENDIANT

Oui. Comme la faim l'est chez les pauvres.

LE PRÉSIDENT

J'ai peine à croire qu'il se contente, au lieu d'une famille royale, de notre petit clan obscur, et que, de destin des Atrides, il accepte de devenir destin des Théocathoclès.

LE MENDIANT

Sois sans inquiétude. Le cancer royal accepte les bourgeois.

EGISTHE

Président, si tu veux que l'entrée d'Electre dans ta famille ne marque point la disgrâce de ses membres magistrats, veille à ne plus ajouter un mot. Dans une zone de troisième ordre, le destin le plus acharné ne fera que des ravages de troisième ordre. J'en suis personnellement désolé, en raison de la vive estime que je porte aux Théocathoclès, mais la dynastie n'y risquera plus rien, ni l'Etat, ni la ville.

LE MENDIANT

Et l'on pourra bien peut-être la tuer un petit peu aussi, si l'occasion s'en présente.

EGISTHE

J'ai dit... Tu peux aller chercher Clytemnestre et Electre. Elles attendent.

LE MENDIANT

Ce n'est pas trop tôt. Sans vous faire de reproches la conversation manquait de femmes.

EGISTHE

Vous allez en avoir deux, et qui parlent.

LE MENDIANT

Et qui vont se disputer un peu, j'espère.

EGISTHE

On aime parmi les vôtres quand les femmes discutent?

LE MENDIANT

On adore. Cet après-midi, ils m'ont laissé entrer dans une maison où l'on discutait aussi. C'était bien moins relevé comme discussion. Ça ne se compare pas. Cela n'était pas un complot d'assassins royaux comme ici. On discutait pour savoir si dans les repas d'invités, on doit servir les volailles sans le foie ou avec le foie. Le cou aussi, naturellement. Les femmes étaient enragées. Il a fallu les séparer. Quand j'y songe, c'était quand même bien dur aussi, comme discussion... Le sang a coulé.

SCÈNE QUATRIÈME

Les mêmes, CLYTEMNESTRE, ELECTRE, suivantes.

LE PRÉSIDENT

Les voici toutes deux.

CLYTEMNESTRE

Toutes deux est beaucoup dire. Electre n'est jamais plus absente que du lieu où elle est.

ELECTRE

Non. Aujourd'hui, j'y suis.

EGISTHE

Alors, profitons-en. Tu sais pourquoi ta mère t'a menée jusqu'ici?

ELECTRE

Je pense que c'est par habitude. Elle a déjà conduit une fille au supplice.

CLYTEMNESTRE

Voilà Electre en deux phrases. Pas une parole qui ne soit perfidie ou insinuation.

ELECTRE

Pardonne-moi, mère. L'allusion se présente si facilement dans la famille des Atrides.

LE MENDIANT

Qu'est-ce qu'elle veut dire? Qu'elle va se fâcher avec sa mère?

LE JARDINIER

Ce serait la première fois qu'on verrait se fâcher Electre.

LE MENDIANT

Ça n'en serait que plus intéressant.

EGISTHE

Electre, ta mère t'a avertie de notre décision. Depuis longtemps tu nous inquiètes. Je ne sais si tu t'en rends compte : tu n'es plus qu'une somnambule en plein jour. Dans le palais et dans la ville, on ne prononce plus ton nom qu'en baissant la voix, tant on craindrait, à le crier, de t'éveiller et de te faire choir...

LE MENDIANT, criant à tue-tête.

Electre!

EGISTHE

Qu'y a-t-il?

LE MENDIANT

Oh! pardon, c'est une plaisanterie. Excusez-moi. Mais c'est vous qui avez eu peur et pas elle. Elle n'est pas somnambule.

EGISTHE

Je vous en prie...

LE MENDIANT

En tout cas, l'expérience est faite. C'est vous qui avez bronché. Qu'est-ce que cela aurait été si j'avais crié tout à coup : Egisthe!

LE PRÉSIDENT

Laissez notre régent parler.

LE MENDIANT

Je vais crier Egisthe tout à l'heure, quand on ne s'y attendra pas.

EGISTHE

Il faut que tu guérisses, Electre, quel que soit le remède.

ELECTRE

Pour me guérir, c'est simple. Il suffit de rendre la vie à un mort.

EGISTHE

Tu n'es pas la seule à pleurer ton père. Mais il ne demande pas que ton deuil soit une offense aux vivants. Nous faisons une situation fausse aux morts en les raccrochant à notre vie. C'est leur enlever, s'ils en ont une, leur liberté de mort.

ELECTRE

Il a sa liberté. C'est pour cela qu'il vient.

EGISTHE

Crois-tu vraiment qu'il se plaise à te voir le pleurer, non comme une fille, mais comme une épouse?

ELECTRE

Je suis la veuve de mon père, à défaut d'autres.

CLYTEMNESTRE

Electre

EGISTHE

Veuve ou non, nous fêtons aujourd'hui tes noces.

ELECTRE

Oui, je connais votre complot.

CLYTEMNESTRE

Quel complot! Est-ce un complot de vouloir marier une fille de vingt et un ans? A ton âge, je vous portais déjà tous les deux dans mes bras, toi et Oreste.

ELECTRE

Tu nous portais mal. Tu as laissé tomber Oreste sur le marbre.

CLYTEMNESTRE

Que pouvais-je faire? Tu l'avais poussé.

ELECTRE

C'est faux! Je n'ai pas poussé Oreste!

CLYTEMNESTRE

Mais qu'en peux-tu savoir! Tu avait quinze mois.

ELECTRE

Je n'ai pas poussé Oreste! D'au-delà de toute mémoire, je me le rappelle. O Oreste, où que tu sois, entends-moi! Je ne t'ai pas poussé!

EGISTHE

Cela va, Electre.

LE MENDIANT

Cette fois, elles y sont. Ce serait curieux que la petite se déclare juste devant nous.

ELECTRE

Elle ment, Oreste, elle ment!

EGISTHE

Je t'en prie, Electre.

CLYTEMNESTRE

Elle l'a poussé. Elle ne savait pas évidemment ce qu'elle faisait, à son âge. Mais elle l'a poussé.

ELECTRE

De toutes mes forces je l'ai retenu. Par sa petite tunique bleue. Par son bras. Par le bout de ses doigts. Par son sillage. Par son ombre. Je sanglotais en le voyant à terre, sa marque rouge au front!

CLYTEMNESTRE

Tu riais à gorge déployée. La tunique, entre nous, était mauve.

ELECTRE

Elle était bleue. Je la connais, la tunique d'Oreste. Quand on la séchait, on ne la voyait pas sur le ciel.

EGISTHE

Vais-je pouvoir parler! N'avez-vous pas eu le temps, depuis vingt ans, de liquider ce débat entre vous!

ELECTRE

Depuis vingt ans, je cherchais l'occasion. Je l'ai

CLYTEMNESTRE

Comment n'arrivera-t-elle pas à comprendre que même de bonne foi, elle peut avoir tort?

LE MENDIANT

Elles sont de bonne foi toutes deux. C'est ça la vérité.

LE PRÉSIDENT

Princesse, je vous en conjure! Quel intérêt présente maintenant la question?

CLYTEMNESTRE

Aucun intérêt, je vous l'accorde.

ELECTRE

Quel intérêt? Si c'est moi qui ai poussé Oreste j'aime mieux mourir, j'aime mieux me tuer... Ma vie n'a aucun sens!...

EGISTHE

Va-t-il falloir te faire taire de force! Etes-vous aussi folle qu'elle, reine?

CLYTEMNESTRE

Electre, écoute. Ne nous querellons pas. Voici exactement comme tout s'est passé. Il était sur mon bras droit.

ELECTRE

Sur le gauche!

EGISTHE

Est-ce fini, oui ou non, Clytemnestre?

CLYTEMNESTRE

C'est fini, mais un bras droit est droit, et non gauche, une tunique mauve est mauve et non bleue.

ELECTRE

Elle était bleue. Aussi bleue qu'était rouge le front d'Oreste.

CLYTEMNESTRE

Cela est vrai... Tout rouge. Tu touchas même la blessure du doigt, tu dansais autour du petit corps étendu, tu goûtais en riant le sang...

ELECTRE

Moi! Je voulais me briser la tête contre la marche qui l'avait blessé! J'ai tremblé toute une semaine...

EGISTHE

Silence!

ELECTRE

Je tremble encore!

LE MENDIANT

La femme Narsès s'attachait le sien avec une bande élastique. Il avait du jeu... Souvent il était de biais, mais il ne tombait pas.

EGISTHE

Cela suffit. Nous verrons bientôt comment Electre portera les siens... Car tu es d'accord, n'est-ce pas? Tu acceptes le mariage?

ELECTRE

J'accepte.

EGISTHE

Je dois t'avouer que les prétendants ne font pas foule autour de toi.

LE MENDIANT

On dit...

EGISTHE

Que dit-on?

LE MENDIANT

On dit que vous avez menacé secrètement de mort tous les princes qui pourraient épouser Electre... On dit ça dans la ville.

ELECTRE

Cela tombe bien. Je ne veux aucun prince.

CLYTEMNESTRE

Et un jardinier, tu en veux un?

ELECTRE

Je sais que vous avez formé tous deux le projet de me marier au jardinier de mon père. J'accepte.

CLYTEMNESTRE

Tu n'épouseras pas un jardinier.

EGISTHE

Nous en sommes convenus, reine. La parole est donnée.

CLYTEMNESTRE

Je la reprends. C'était une parole inique. Si Electre est malade, nous la soignerons. Je ne donne plus ma fille à un jardinier.

ELECTRE

Trop tard, mère. Tu m'as donnée.

CLYTEMNESTRE

Tu oses prétendre à Electre, jardinier?

LE JARDINIER

Je suis indigne, reine, mais Egisthe l'ordonne.

EGISTHE

Je l'ordonne. Et voici les anneaux. Prends ta femme.

CLYTEMNESTRE

Tu risques ta vie, jardinier, si tu t'obstines!

LE MENDIANT

Alors ne t'obstine pas. Moi j'aime voir mourir les soldats, pas les jardiniers.

CLYTEMNESTRE

Que dit-il encore, celui-là? Epouse Electre, jardinier, et tu es tué!

LE MENDIANT

C'est votre affaire. Mais revenez dans un jardin un an après la mort du jardinier. Vous verrez s'il n'est pas à dire. Vous verrez ce qu'elle devient la scarole, veuve un an de son jardinier. Ce n'est pas comme les veuves de rois.

CLYTEMNESTRE

Ce jardin-là n'y perdra rien. Viens, Electre.

LE JARDINIER

Reine, vous pouvez me refuser Electre, mais ce n'est

pas loyal de dire du mal d'un jardin qu'on ne connaît pas.

CLYTEMNESTRE

Je le connais : un terrain vague, tendu d'épandages...

LE JARDINIER

Un terrain vague, le jardin le mieux tenu d'Argos!

LE PRÉSIDENT

S'il se met à vous parler de son jardin, nous n'en sortirons plus!

EGISTHE

Epargne-nous les descriptions!

LE JARDINIER

La reine me provoque. Je réponds. Il est ma dot, il est mon honneur, mon jardin!

EGISTHE

Peu importe. Assez de querelles!

LE JARDINIER

Terrain vague! Il couvre dix arpents de colline, mon jardin, et six de vallée. Non! Non! Vous ne me ferez pas taire! Pas un pouce stérile, n'est-ce pas, Electre! Sur les terrasses, j'ai l'ail et les tomates. Aux pentes, la vigne et les pêchers de plein vent. Dans le plan, les légumes, les fraises et les framboises. Au creux de chaque éboulis un figuier, qui épaule le mur et y tiédit la figue.

EGISTHE

Parfait. Laisse ta figue tiédir, et prends ta femme.

CLYTEMNESTRE

Ose parler de ce jardin! Tout y est sec, je l'ai vu de la route : un crâne pelé. Tu n'auras pas Electre.

LE JARDINIER

Tout y est sec! D'une source que la canicule ne tarit point, s'écoule entre les buis et les platanes le ruisseau dont j'ai dérivé deux rigoles, l'une sur la prairie, l'autre taillée en plein roc. Vous en trouverez des crânes semblables! Et des épandages pareils! En ce début de printemps tout n'est que jacinthe et narcisse. Je n'ai jamais vu sourire Electre, mais c'est dans mon jardin que j'ai reconnu sur son visage ce qui ressemble le plus à un sourire.

CLYTEMNESTRE

Regarde si elle sourit en ce moment.

LE JARDINIER

Moi j'appelle cela le sourire d'Electre.

CLYTEMNESTRE

Le sourire à ta main sale, à tes ongles noirs...

ELECTRE

Cher jardinier...

LE JARDINIER

Mes ongles noirs? Voilà que mes ongles sont noirs! Ne la croyez pas, Electre. Vous tombez bien mal, reine, aujourd'hui. Car j'ai passé ce matin ma maison à la chaux de manière qu'aucune trace n'y demeure des mulots et des serpillères, et de cela mes ongles sont sortis, non pas noirs, comme vous voulez bien le dire, mais lunés de blanc.

EGISTHE

Cela va, jardinier.

LE JARDINIER

Je sais, je sais que cela va. Et mes mains sont sales. Regardez. Voilà des mains sales! Des mains que j'ai justement lavées après avoir retiré les morilles et les oignons pendus, pour que rien n'entête la nuit d'Electre... Moi je coucherai dans le hangar, Electre, d'où je surveillerai toute menace à votre sommeil, qu'elle vienne du hibou en fraude, de l'écluse ouverte, ou du renard qui fourrage la haie, sa tête grossie d'une poule. J'ai dit...

ELECTRE

Merci, jardinier.

CLYTEMNESTRE

Et ainsi vivra Electre, fille de Clytemnestre et du roi des rois, à voir dans les plates-bandes son époux circuler deux seaux aux mains, centre d'un cercle de barrique!

EGISTHE

Et elle y pleurera les morts tout à son aise. Prépare dès demain tes semis d'immortelles.

LE JARDINIER

Et elle y évitera l'angoisse, le tourment, et peut-être le drame. Je ne connais guère les êtres, reine, mais je connais les saisons. Il est temps, juste temps dans notre ville de transplanter le malheur. Ce n'est pas sur notre pauvre famille que l'on greffera les Atrides, mais sur les saisons, sur les prairies, sur les vents. J'ai idée qu'ils n'y perdront rien.

LE MENDIANT

Laissez-vous convaincre, reine. Vous ne voyez donc pas qu'il y a dans Egisthe je ne sais quelle haine qui le pousse à tuer Electre, à la donner à la terre. Par une espèce de jeu de mots, il se trompe, il la donne à un jardin. Elle y gagne. Elle y gagne la vie... (*Egisthe s'est levé.*) Quoi? J'ai eu tort hein, de dire cela?

EGISTHE, à Electre et au jardinier.

Approchez tous les deux!

CLYTEMNESTRE

Electre, je t'en prie.

ELECTRE

C'est vous qui l'avez voulu, mère!

CLYTEMNESTRE

Je ne le veux plus. Tu vois bien que je ne le veux plus.

ELECTRE

Pourquoi ne le veux-tu plus? Tu as peur? Trop tard.

CLYTEMNESTRE

Que faut-il donc te dire pour te rappeler qui je suis, qui tu es!

ELECTRE

Il faut me dire que je n'ai pas poussé Oreste.

CLYTEMNESTRE

Fille stupide!

EGISTHE

Vont-elles recommencer?

LE MENDIANT

Oui, oui, qu'elles recommencent.

CLYTEMNESTRE

Et injuste! Et obstinée! Laisser tomber Oreste! Jamais je ne casse rien! Jamais je n'échappe un verre ou un bague... Je suis si stable que les oiseaux se posent sur mes bras... De moi on s'envole, on ne tombe pas... C'est justement ce que je me disais, quand il a perdu l'équilibre : Pourquoi, pourquoi la malchance veut-elle qu'il ait eu sa sœur près de lui!

EGISTHE

Elles sont folles!

ELECTRE

Et moi je me disais, dès que je l'ai vu glissant : au moins si c'est une vraie mère, elle va se courber pour amortir la chute. Ou elle va se plier, ou se voûter, pour créer une pente, pour le rattraper avec ses cuisses ou ses genoux. On va voir s'ils deviennent prenants, s'ils comprennent, les cuisses et les genoux altiers de ma mère! On en doutait! On va le voir!

CLYTEMNESTRE

Tais-toi.

ELECTRE

Ou elle va s'incliner en arrière, de façon que le petit Oreste glisse d'elle comme un enfant de l'arbre où il a déniché un nid. Ou elle va tomber, pour qu'il ne tombe pas, pour qu'il tombe sur elle. Tous les moyens dont une mère dispose pour recueillir son fils, elle les a encore. Elle peut encore être une courbe, une conque, une pente maternelle, un berceau. Mais elle est restée figée, dressée, et il a chu tout droit, du plus haut de sa mère!

EGISTHE

La cause est entendue, Clytemnestre, nous partons!

CLYTEMNESTRE

Qu'elle se souvienne ainsi de ce qu'elle a vu à quinze mois, de ce qu'elle n'a pas vu! Jugez du reste!

EGISTHE

Qui la croit, qui l'écoute, excepté vous!

ELECTRE

Qu'il soit tant de moyens pour empêcher un fils de tomber, j'en vois mille encore, et qu'elle n'ait rien fait!

CLYTEMNESTRE

Le moindre mouvement et c'est toi qui tombais.

ELECTRE

C'est bien ce que je dis. Tu raisonnais. Tu calculais. Tu étais une nourrice, pas une mère!

CLYTEMNESTRE

Ma petite Electre...

ELECTRE

Je ne suis pas ta petite Electre. A frotter ainsi tes deux enfants contre toi, ta maternité se chatouille et s'éveille. Trop tard.

CLYTEMNESTRE

Je t'en supplie.

ELECTRE

C'est cela! Ouvre les bras tout grands. Voilà comme tu as fait! Regardez tous! C'est juste ce que tu as fait!

CLYTEMNESTRE

Partons, Egisthe...

Elle sort.

LE MENDIANT

J'ai idée qu'elle aussi a peur, la mère.

EGISTHE, au mendiant.

Vous dites, vous?

LE MENDIANT

Moi, je ne dis rien. Je ne dis jamais rien... A jeun, je parle. A jeun, on n'entend que moi... Mais j'ai bu un peu aujourd'hui...

SCÈNE CINQUIÈME

ELECTRE, le mendiant, le jardinier, l'étranger, AGATHE THÉOCATHOCLÈS.

AGATHE

Voici le bon moment... Egisthe n'est plus là. Disparais, jardinier!

LE JARDINIER

Que veux-tu dire?

AGATHE

Disparais, et vite. Cet homme prend ta place.

LE JARDINIER

Ma place auprès d'Electre!

L'ÉTRANGER

Oui, c'est moi qu'elle épouse.

ELECTRE

Lâchez ma main!

L'ÉTRANGER

De ma vie plus jamais.

AGATHE

Au moins, regardez-le, Electre! Avant de s'échapper des bras d'un homme, on regarde au moins comment il est fait! Je vous assure que vous y gagnez.

ELECTRE

Jardinier! Au secours!

L'ÉTRANGER

Je n'ai pas de compte à te rendre, jardinier. Mais regarde-moi en face. Tu es un expert pour les genres et les espèces... Regarde mon espèce dans mes yeux. C'est cela. Regarde-la bien de tes pauvres yeux sans race. De ce regard des humbles, qui est un mélange de dévouement, de chassie et de crainte, de cette prunelle délavée et stérile des pauvres gens qui ne secrète plus ni sous le soleil ni sous le malheur, inspecte, et vois si je peux m'effacer devant toi... Parfait... Donne-moi ton anneau... Merci...

ELECTRE

Agathe, ma cousine! Aidez-moi! Je vous jure que je ne dirai rien! De vos rendez-vous, de vos ruptures, je vous jure que je ne dirai rien!

AGATHE, emmenant le jardinier.

Viens... Les Théocathoclès sont sauvés. Que les Atrides se débrouillent...

LE MENDIANT

Elle court. Ainsi regagne le dessous de sa pierre la petite cloporte qui a eu la menace du jour.

SCÈNE SIXIÈME

ELECTRE, l'étranger, le mendiant.

L'ÉTRANGER

Toi, ne te débats pas.

ELECTRE

Je me débattrai jusqu'à la mort.

L'ÉTRANGER

Le crois-tu? Tout à l'heure, tu vas me prendre de toi-même dans tes bras.

ELECTRE

Pas d'insulte!

L'ÉTRANGER

Dans une minute tu vas m'embrasser.

ELECTRE

Honte à vous qui profitez de deux infamies.

L'ÉTRANGER

Vois pourtant comme j'ai confiance, je te lâche...

ELECTRE

Adieu pour toujours!

L'ÉTRANGER

Non! Je vais te dire un mot et tu vas revenir vers moi, toute douce.

ELECTRE

Quel est ce mensonge?

L'ÉTRANGER

Un seul mot et tu vas sangloter dans mes bras. Un seul mot, mon nom...

ELECTRE

Il n'est plus au monde qu'un nom qui puisse m'attirer vers un être.

L'ÉTRANGER

C'est celui-là. C'est le mien.

ELECTRE

Tu es Oreste!

ORESTE

O ingrate sœur, qui ne me reconnais qu'à mon nom!

Clytemnestre apparaît.

SCÈNE SEPTIÈME

CLYTEMNESTRE, ELECTRE, ORESTE, le mendiant.

CLYTEMNESTRE

Electre!

ELECTRE

Ma mère!

CLYTEMNESTRE

Reprends ta place au palais. Quitte ce jardinier Viens.

ELECTRE

Le jardinier n'est plus ici, ma mère.

CLYTEMNESTRE

Où est-il?

ELECTRE

Il m'a cédée à cet homme.

CLYTEMNESTRE

A quel homme?

ELECTRE

A cet homme-là, qui maintenant est mon mari.

CLYTEMNESTRE

L'heure n'est pas aux plaisanteries. Viens.

ELECTRE

Comment venir? Cet homme me tient la main.

CLYTEMNESTRE

Hâte-toi.

ELECTRE

Tu sais, mère, ces étrivières que l'on passe aux jambes des pouliches pour les empêcher de courir. Cet homme me les passe aux chevilles.

CLYTEMNESTRE

Cette fois, j'ordonne. Que la nuit te trouve dans ta chambre. Viens.

ELECTRE

Justement. Comment abandonner mon mari, le soir de ma nuit de noces!

CLYTEMNESTRE

Que faites-vous là? Qui êtes vous?

ELECTRE

Il ne te répondra pas. Ce soir la bouche de mon mari m'appartient, avec toutes ses paroles.

CLYTEMNESTRE

D'où venez-vous? Qui est votre père?

ELECTRE

S'il y a mésalliance, elle ne sera pas grande.

CLYTEMNESTRE

Pourquoi me regardez-vous ainsi? Qu'y a-t-il à me braver dans vos yeux?... Et votre mère, qui était-elle?

ELECTRE

Il ne l'a jamais vue.

CLYTEMNESTRE

Elle est morte?

ELECTRE

C'est peut-être ce que tu vois dans ses yeux, qu'il n'a jamais vu sa mère. Il est beau, n'est-ce pas?

CLYTEMNESTRE

Oui... Il te ressemble.

ELECTRE

Que notre première heure de mariage nous ait donné cette ressemblance qui ne vient qu'aux vieux époux, cela promet, n'est-ce pas, mère?

CLYTEMNESTRE

Qui êtes-vous?

ELECTRE

Que t'importe! Jamais homme n'a été moins à toi.

CLYTEMNESTRE

Quel qu'il soit, qui que vous soyez, étranger, ne vous prêtez pas à ce caprice. Ou plutôt aidez-moi. Si vous êtes digne d'Electre, nous verrons demain. Je convaincrai Egisthe... Mais jamais nuit ne m'a semblé moins propice. Laisse cet homme, Electre.

ELECTRE

Trop tard, ses bras me tiennent.

CLYTEMNESTRE

Tu sais rompre le fer, quand tu veux.

ELECTRE

Le fer oui, ce fer non.

CLYTEMNESTRE

Que t'a-t-il dit contre ta mère pour que tu l'acceptes ainsi?

ELECTRE

Nous n'avons encore eu le temps de parler ni de ma mère, ni de la sienne. Disparais, nous commencerons.

ORESTE

Electre!

ELECTRE

Voilà tout ce qu'il peut dire. Quand j'enlève ma main de sa bouche, il dit mon nom sans arrêt. On ne peut de lui obtenir autre chose. O mon mari, puisque ta bouche est libre, embrasse-moi!

CLYTEMNESTRE

Quelle honte! Ainsi c'était cette folie le secret d'Electre!

ELECTRE

Devant ma mère, embrasse-moi.

CLYTEMNESTRE

Adieu. Mais je ne te croyais pas fille à te donner au premier passant venu.

ELECTRE

Moi non plus. Mais j'ignorais ce que c'est, le premier baiser venu.

Exit Clytemnestre.

SCÈNE HUITIÈME

ELECTRE, ORESTE, le mendiant

ORESTE

Pourquoi hais-tu à ce point notre mère, Electre?

ELECTRE

Ne parle pas d'elle, surtout pas d'elle. Imaginons une minute, pour notre bonheur, que nous ayons été enfantés sans mère. Ne parle pas.

ORESTE

J'ai tout à te dire.

ELECTRE

Tu me dis tout par ta présence. Tais-toi. Baisse les yeux. Ta parole et ton regard m'atteignent trop durement, me blessent. Souvent je souhaitais, si jamais un jour je te retrouvais, de te retrouver dans ton sommeil. Retrouver à la fois le regard, la voix, la vie d'Oreste, je n'en puis plus. Il eût fallu que je m'entraîne sur une forme de toi, d'abord morte, peu à peu vivante. Mais mon frère est né comme le soleil, une brute d'or à son lever... Ou que je sois aveugle, et que je regagne mon frère sur le monde à tâtons... O joie d'être aveugle, pour la sœur qui retrouve son frère. Vingt ans mes mains se sont égarées sur l'ignoble ou sur le médiocre, et voilà qu'elles touchent un frère. Un frère où tout est vrai. Il pourrait y avoir, insérés dans cette tête, dans ce corps, des fragments suspects, des fragments faux. Par un merveilleux hasard, tout est fraternel dans Oreste, tout est Oreste!

ORESTE

Tu m'étouffes.

ELECTRE

Je ne t'étouffe pas... Je ne te tue pas... Je te caresse. Je t'appelle à la vie. De cette masse fraternelle que j'ai à peine vue dans mon éblouissement, je forme mon frère avec tous ses détails. Voilà que j'ai fait la main de mon frère, avec son beau pouce si net. Voilà que j'ai fait la poitrine de mon frère, et que je l'anime, et qu'elle se gonfle et expire, en donnant la vie à mon frère. Voilà que je fais son oreille. Je te la fais petite, n'est-ce pas, ourlée, diaphane comme l'aile de la chauve-souris?... Un dernier modelage, et l'oreille est finie. Je fais les deux semblables. Quelle réussite, ces oreilles! Et voilà que je fais la bouche de mon frère, doucement sèche, et je la cloue toute palpitante sur son visage... Prends de moi ta vie, Oreste, et non de ta mère!

ORESTE

Pourquoi la hais-tu?... Ecoute!

ELECTRE

Qu'as-tu? Tu me repousses? Voilà bien l'ingratitude des fils. Vous les achevez à peine, et ils se dégagent, et ils s'évadent.

ORESTE

Quelqu'un nous surveille, de l'escalier...

ELECTRE

C'est elle, c'est sûrement elle. C'est la jalousie ou la peur. C'est notre mère.

LE MENDIANT

Oui, oui, c'est bien elle.

ELECTRE

Elle se doute que nous sommes là, à nous créer nous-mêmes, à nous libérer d'elle. Elle se doute que ma caresse va t'entourer, te laver d'elle, te rendre orphelin d'elle... O mon frère, qui jamais pourra me donner le même bienfait!

ORESTE

Comment peux-tu ainsi parler de celle qui t'a mise au monde! Je suis moins dur pour elle, qui l'a été tant pour moi!

ELECTRE

C'est justement ce que je ne peux supporter d'elle, qu'elle m'ait mise au monde. C'est là ma honte. Il me semble que par elle je suis entrée dans la vie d'une façon équivoque et que sa maternité n'est qu'une complicité qui nous lie. J'aime tout ce qui, dans ma naissance revient à mon père. J'aime comme il s'est dévêtu, de son beau vêtement de noces, comme il s'est couché, comme tout d'un coup pour m'engendrer, il est sorti de ses pensées et de son corps même. J'aime à ses yeux son cerne de futur père, j'aime cette surprise qui remua son corps le jour où je suis née, à peine perceptible, mais d'où je me sens issue plus que des souffrances et des efforts de ma mère. Je suis née de sa nuit de profond sommeil, de sa maigreur de neuf mois, des consolations qu'il prit avec d'autres femmes pendant que ma mère me portait, du sourire paternel qui suivit ma naissance. Tout ce qui est de cette naissance du côté de ma mère, je le hais.

ORESTE

Pourquoi détestes-tu les femmes à ce point?

ELECTRE

Ce n'est pas que je déteste les femmes, c'est que je déteste ma mère. Et ce n'est pas que je déteste les hommes, je déteste Egisthe.

ORESTE

Mais pourquoi les hais-tu?

ELECTRE

Je ne le sais pas encore. Je sais seulement que c'est la même haine. C'est pour cela qu'elle est si lourde, pour cela que j'étouffe. Que de fois j'ai essayé de découvrir que je haïssais chacun d'une haine spéciale. Deux petites haines, cela peut se porter encore dans la vie C'est comme les chagrins. L'un équilibre l'autre. J'essayais de croire que je haïssais ma mère parce qu'elle t'avait laissé tomber enfant, Egisthe parce qu'il te dérobait ton trône. C'était faux. En fait j'avais pitié de cette grande reine, qui dominait le monde, et soudain, terrifiée, humble, échappait un enfant comme une aïeule hémiplégique. J'avais pitié de cet Egisthe, cruel, tyran, et dont le destin était de mourir un jour misérablement sous tes coups... Tous les motifs que je trouvais de les haïr me les laissaient au contraire humains, pitoyables, mais dès que les haines de détail avaient bien lavé, paré, rehaussé ces deux êtres, au moment où vis-à-vis d'eux je me retrouvais douce, obéissante, une vague plus lourde et plus chargée de haine commune s'abattait à nouveau sur eux. Je les hais d'une haine qui n'est pas à moi.

ORESTE

Je suis là. Elle va cesser.

ELECTRE

Crois-tu? Autrefois je pensais que ton retour me libérerait de cette haine. Je pensais que mon mal venait de ce que tu étais loin. Je me préparais pour ta venue à ne plus être qu'un bloc de tendresse, de tendresse pour tous, de tendresse pour eux. J'avais tort. Mon mal, en cette nuit, vient de ce que tu es près. Et toute cette haine que j'ai en moi, elle te rit, elle t'accueille, elle est mon amour pour toi. Elle te lèche comme le chien la main qui va le découpler. Je sens que tu m'as donné la vue, l'odorat de la haine. La première trace, et maintenant, je prends la piste... Qui est là? C'est elle?

LE MENDIANT

Non. Non! Vous oubliez l'heure. Elle est remontée. Elle se déshabille.

ELECTRE

Elle se déshabille. Devant son miroir, contemplant longuement Clytemnestre, notre mère se déshabille. Notre mère que j'aime parce qu'elle est si belle, dont j'ai pitié à cause de l'âge qui vient, dont j'admire la voix, le regard... Notre mère que je hais.

ORESTE

Electre, sœur chérie! Je t'en supplie, calme-toi.

ELECTRE

Alors, je prends la piste, je pars?

ORESTE

Calme-toi.

ELECTRE

Moi? Je suis toute calme. Moi? Je suis toute douce. Et douce pour ma mère, si douce... C'est cette haine pour elle qui gonfle, qui me tue.

ORESTE

A ton tour, ne parle pas. Nous verrons demain pour la haine. Laisse-moi goûter ce soir, ne fût-ce qu'une heure, la douceur de cette vie que je n'ai pas connue et que pourtant je retrouve.

ELECTRE

Une heure. Va pour une heure...

ORESTE

Le palais est si beau, sous la lune... Mon palais... Toute la puissance de notre famille à cette heure en émane... Ma puissance... Laisse-moi dans tes bras imaginer de quel bonheur ces murs auraient pu être l'écluse, avec des êtres plus censés et plus calmes. O Electre, que de noms dans notre famille étaient au départ doux, tendres, et devaient être des noms de bonheur!

ELECTRE

Oui, je sais : Médée, Phèdre..

ORESTE

Ceux-là même, pourquoi pas?

ELECTRE

Electre, Oreste...

ORESTE

Pour ceux-là n'est-il pas temps encore? Je viens pour les sauver.

ELECTRE

Tais-toi! La voilà!

ORESTE

Voilà qui?

ELECTRE

Celle qui porte ce nom de bonheur : Clytemnestre.

SCÈNE NEUVIÈME

ELECTRE, ORESTE, CLYTEMNESTRE, puis Egisthe.

CLYTEMNESTRE

Electre?

ELECTRE

Ma mère?

CLYTEMNESTRE

Quel est cet homme?

ELECTRE

Devine.

CLYTEMNESTRE

Laisse-moi voir son visage.

ELECTRE

Si tu ne le vois point à distance, tu le verras encore moins de près.

CLYTEMNESTRE

Electre, cessons notre guerre. Si vraiment tu veux cet homme pour mari, j'accepte. Pourquoi ce sourire? N'est-ce pas moi qui ai voulu que tu aies un mari?

ELECTRE

Pas du tout. Tu as voulu que je sois femme.

CLYTEMNESTRE

Quelle est la différence?

ELECTRE

Tu as voulu que je sois dans ton camp. Tu as voulu ne pas avoir perpétuellement devant toi le visage de celle qui est ta pire ennemie.

CLYTEMNESTRE

Celui de ma fille?

ELECTRE

Celui de la chasteté.

ORESTE

Electre...

ELECTRE

Laisse-moi... Laisse-moi... J'ai pris la piste.

CLYTEMNESTRE

Chasteté! Cette fille que rongent les désirs nous parle

de la chasteté. Cette fille qui, à deux ans ne pouvait voir un garçon sans rougir. C'est parce que tu voulais embrasser Oreste, si tu tiens à le savoir, que tu l'as jeté hors de mes bras!

ELECTRE

Alors j'avais raison. Alors tu m'en vois fière. Cela en valait la peine.

Trompettes. Rumeurs. Apparitions aux fenêtres. D'une galerie, Egisthe se penche.

EGISTHE

Vous êtes là, reine?

LE MENDIANT

Oui. Elle est là.

EGISTHE

Grande nouvelle, reine. Oreste n'était pas mort. Il s'est évadé. Il se dirige vers Argos.

CLYTEMNESTRE

Oreste!

EGISTHE

J'envoie à sa rencontre mes hommes les plus sûrs. Tout ce qui m'est fidèle, je le poste autour des murs... Vous vous taisez?

CLYTEMNESTRE

Oreste revient?

EGISTHE

Il revient pour reprendre le trône de son père, pour m'empêcher d'être régent, vous d'être reine... Des émissaires à lui circulent et préparent une émeute.

Rassurez-vous. A tout je mettrai bon ordre... Qui est en bas, avec vous?

CLYTEMNESTRE

Electre.

EGISTHE

Et son jardinier?

LE MENDIANT

Et son jardinier.

EGISTHE

Vous ne cherchez plus à les séparer, je pense? Vous voyez que mes craintes étaient justes! Vous êtes d'accord, maintenant?

CLYTEMNESTRE

Non. Je ne cherche plus.

EGISTHE

Qu'ils ne sortent pas du palais. J'ai donné ordre que les portes soient closes jusqu'au retour des soldats... Pour eux surtout... Tu m'entends, jardinier?

ELECTRE

Nous ne sortirons pas.

EGISTHE

Vous, reine, remontez. Regagnez votre chambre. Il est tard et le conseil se réunit à l'aurore... Je vous souhaite bonne nuit.

ELECTRE

Merci, Egisthe.

EGISTHE

Je parle à la reine, Electre. L'heure n'est pas à la dérision. Montez, reine!

CLYTEMNESTRE

Au revoir, Electre.

ELECTRE

Au revoir, mère.

Elle va, et se retourne.

CLYTEMNESTRE

Au revoir, mari de ma fille.

Elle monte lentement l'escalier.

LE MENDIANT

On en voit, dans les familles! On voit tout!

ELECTRE

Qui a parlé?

LE MENDIANT

Personne! Personne n'a parlé. Vous pensez que quelqu'un va parler dans un moment pareil.

SCÈNE DIXIÈME

ELECTRE, ORESTE, le mendiant.

ORESTE

Dis-la-moi, Electre! Dis-la-moi!

ELECTRE

Te dire quoi?

ORESTE

Ta haine. La raison de ta haine. Tu la connais maintenant. Tout à l'heure, en parlant à Clytemnestre, tu t'es presque évanouie dans mes bras. On eût dit de joie ou d'horreur.

ELECTRE

C'était de joie et d'horreur... Es-tu fort ou faible, Oreste?

ORESTE

Dis-moi ton secret, et je vais le savoir.

ELECTRE

Je ne connais pas mon secret encore. Je n'ai que le début du fil. Ne t'inquiète pas. Tout va suivre... Méfie-toi. La voilà.

Apparaît au fond Clytemnestre.

SCÈNE ONZIÈME

ELECTRE, CLYTEMNESTRE, ORESTE, le mendiant.

CLYTEMNESTRE

Ainsi c'est toi, Oreste?

ORESTE

Oui, mère, c'est moi.

CLYTEMNESTRE

C'est doux, à vingt ans, de voir une mère?

ORESTE

Une mère qui vous a chassé, triste et doux.

CLYTEMNESTRE

Tu la regardes de bien loin.

ORESTE

Elle est ce que j'imaginais.

CLYTEMNESTRE

Mon fils aussi. Beau. Souverain. Et pourtant je m'approche.

ORESTE

Moi non. A distance c'est une splendide mère.

CLYTEMNESTRE

Qui te dit que de près sa splendeur subsiste?

ORESTE

Ou sa maternité?... C'est bien pour cela que je reste immobile.

CLYTEMNESTRE

Un mirage de mère, cela te suffit?

ORESTE

J'ai eu tellement moins jusqu'à ce jour. A ce mirage du moins je peux dire ce que je ne dirai jamais à ma vraie mère.

CLYTEMNESTRE

Si le mirage le mérite, c'est déjà cela. Que lui dis-tu?

ORESTE

Tout ce que je ne te dirai jamais. Tout ce qui, dit à toi serait mensonge.

CLYTEMNESTRE

Que tu l'aimes?

ORESTE

Oui.

CLYTEMNESTRE

Que tu la respectes?

ORESTE

Oui

CLYTEMNESTRE

Que tu l'admires?

ORESTE

Sur ce point seul mirage et mère peuvent partager.

CLYTEMNESTRE

Pour moi, c'est le contraire. Je n'aime pas le mirage de mon fils. Mais que mon fils soit lui-même devant moi, qu'il parle, qu'il respire, je perds mes forces.

ORESTE

Songe à lui nuire, tu les retrouveras.

CLYTEMNESTRE

Pourquoi es-tu si dur? Tu n'as pas l'air cruel, pourtant. Ta voix est douce?

ORESTE

Oui. Je ressemble point par point au fils que j'aurais pu être. Toi aussi d'ailleurs! A quelle mère admirable tu ressembles en ce moment! Si je n'étais pas ton fils, je m'y tromperais.

ELECTRE

Alors, pourquoi parlez-vous tous deux? Que penses-tu gagner, mère, à cette ignoble coquetterie maternelle! Puisque au milieu de la nuit, des haines, des menaces, s'est ouvert une minute ce guichet qui permet à la mère et au fils de s'entrevoir tels qu'ils ne sont pas, profitez-en, et refermez-le. La minute est écoulée.

CLYTEMNESTRE

Pourquoi si vite. Qui te dit qu'une minute d'amour maternel suffise à Oreste?

ELECTRE

Tout me dit que toi tu n'as pas droit, dans ta vie, à plus d'une minute d'amour filial. Tu l'as eue. Et comble... Quelle comédie joues-tu! Va-t'en...

CLYTEMNESTRE

Très bien. Adieu.

UNE PETITE EUMÉNIDE, apparaissant derrière les colonnes.

Adieu, vérité de mon fils.

ORESTE

Adieu.

SECONDE PETITE EUMÉNIDE

Adieu, mirage de ma mère.

ELECTRE

Vous pouvez vous dire au revoir. Vous vous reverrez.

SCÈNE DOUZIÈME

ELECTRE et ORESTE, endormis, les petites Euménides, le mendiant, les Euménides ont maintenant douze ou treize ans.

PREMIÈRE PETITE EUMÉNIDE

Ils dorment. A notre tour de jouer Clytemnestre et Oreste. Mais pas comme eux le jouent. Jouons-le vraiment!

LE MENDIANT, à lui-même mais à voix haute.

C'est l'histoire de ce poussé ou pas poussé que je voudrais...

DEUXIÈME EUMÉNIDE

Toi, laisse-nous jouer! Nous jouons!

Les trois petites Euménides se placent dans les positions qu'avaient les acteurs de la scène précédente et jouent en parodie, de préférence avec des masques.

PREMIÈRE EUMÉNIDE

Ainsi c'est toi, Oreste?

DEUXIÈME EUMÉNIDE

Oui, mère, c'est moi.

PREMIÈRE EUMÉNIDE

Tu viens pour me tuer, pour tuer Egisthe.

DEUXIÈME EUMÉNIDE

Première nouvelle.

PREMIÈRE EUMÉNIDE

Pas pour ta sœur... Tu as déjà tué, mon petit Oreste?

DEUXIÈME EUMÉNIDE

Ce qu'on tue quand on est bon... Une biche... Comme en plus de bon, j'étais pitoyable, j'ai tué le faon aussi, pour qu'il ne soit pas orphelin... Tuer ma mère, jamais. Ce serait un parricide.

PREMIÈRE EUMÉNIDE

C'est avec cette épée que tu les as tués?

DEUXIÈME EUMÉNIDE

Oui, elle coupe le fer. Tu juges, pour le faon! Elle l'avait traversé qu'il n'avait rien senti.

PREMIÈRE EUMÉNIDE

Je n'ai aucune arrière-pensée. Je ne veux pas t'influencer... Mais si une épée comme celle-là tuait ta sœur, nous serions bien tranquilles!

DEUXIÈME EUMÉNIDE

Tu veux que je tue ma sœur?

PREMIÈRE EUMÉNIDE

Jamais. Ce serait un fratricide. L'idéal serait que l'épée la tue toute seule. Qu'elle sorte un jour du fourreau, comme cela, et qu'elle la tue toute seule. Moi j'épouserais tranquillement Egisthe... Nous te rappellerions. Il prend de l'âge, Egisthe. Tu lui succéderais bien vite... Tu serais le roi Oreste.

DEUXIÈME EUMÉNIDE

Une épée ne tue pas toute seule. Il faut un assassin.

PREMIÈRE EUMÉNIDE

Evidemment Je devrais le savoir. Mais je parle

pour le cas où les épées tueraient toutes seules. Les redresseurs de torts sont le mal du monde. Et ils ne s'améliorent pas en vieillissant, je te prie de le croire. Alors que les criminels sans exception deviennent vertueux, eux, sans exception, deviennent criminels. Non, vraiment! Il y a une belle occasion en ce moment pour une épée qui penserait toute seule, qui se promènerait toute seule, qui tuerait toute seule. Toi, on te marierait, à la seconde fille d'Alcmène, celle qui a ces belles dents, celle qui rit. Tu serais le marié Oreste.

DEUXIÈME EUMÉNIDE

Je ne veux tuer ni ma sœur que j'aime, ni ma mère que je déteste...

PREMIÈRE EUMÉNIDE

Je sais. Je sais. En un mot tu es faible et tu as des principes!

TROISIÈME EUMÉNIDE

Alors pourquoi parlez-vous tous deux! Puisque au milieu de la nuit, des haines, des menaces, la lune s'élève, le rossignol chante, enlève ta main de la poignée de ton épée. Oreste, pour voir ce qu'elle aura l'intelligence de faire toute seule!

PREMIÈRE EUMÉNIDE

C'est cela, enlève... Elle bouge, mes amies... Elle bouge!

DEUXIÈME EUMÉNIDE

Il n'y a pas de doute. C'est une épée qui pense... Elle pense tellement qu'elle est à demi sortie!

ORESTE, *endormi*.

Electre!

LE MENDIANT

Allez, circulez, les chouettes! Vous les réveillez!

ELECTRE, endormie.

Oreste!

SCÈNE TREIZIÈME

ELECTRE, ORESTE, le mendiant.

LE MENDIANT

C'est l'histoire de ce poussé ou pas poussé que je voudrais bien tirer au clair. Car, selon que c'est l'un ou l'autre, c'est la vérité ou le mensonge qui habite Electre, soit qu'elle mente sciemment, soit que sa mémoire devienne mensongère. Moi je ne crois pas qu'elle ait poussé. Regardez-la : à deux pouces au-dessus du sol, elle tient son frère endormi aussi serré qu'au-dessus d'un abîme. Il va rêver qu'il tombe, évidemment, mais cela vient du cœur, elle n'y est pour rien. Tandis que la reine a une ressemblance : elle ressemble à ces boulangères qui ne se baissent même pas pour ramasser leur monnaie, et aussi à ces chiennes griffonnes qui étouffent leur plus beau petit pendant leur sommeil. Après, elles le lèchent comme la reine vient de lécher Oreste, mais on n'a jamais fait d'enfant avec la salive. On voit l'histoire comme si l'on y était. Tout s'explique, si vous supposez que la reine s'est mis une broche en diamants et qu'un chat blanc est passé. Elle tient Electre sur le bras droit, car la fille est déjà lourde; elle tient le bébé sur l'autre, un peu éloigné d'elle, pour qu'il ne s'égratigne pas à la broche ou qu'il ne la lui enfonce pas dans la peau... C'est une épingle à reine, pas une épingle à nourrice... Et l'enfant voit le chat blanc, c'est magnifique, un chat blanc, c'est de la vie blanche, c'est du poil blanc : ses yeux le tirent, et il bascule... Et c'est une femme égoïste. Car, de toute façon, en voyant chavirer l'enfant, elle n'avait pour le retenir qu'à libérer son bras droit de la petite Electre, à lancer la petite Electre au loin sur le marbre, à se ficher de la petite Electre. Qu'elle se casse la gueule, la petite Electre, pourvu que vive et soit intact le fils du roi des rois! Mais elle est égoïste. Pour elle, la femme compte autant que l'homme, parce qu'elle en est une; le ventre autant que la souche, parce qu'elle est un ventre; elle ne songe pas une seconde à détruire cette fille à ventre pour sauver ce fils à souche, et elle garde Electre. Tandis que voyez Electre. Elle s'est déclarée dans les bras de son frère. Et elle a raison. Elle ne pouvait trouver d'occasion meilleure. La fraternité est ce qui distingue les humains. Les animaux ne connaissent que l'amour... les chats, les perruches, et cætera; ils n'ont de fraternité que de pelage. Pour trouver des frères, ils sont obligés d'aimer les hommes, de faire la retape aux hommes... Qu'est-ce qu'il fait, le petit canard, quand il se détache de la bande des canards, et de son petit œil tendre pétillant sur sa joue inclinée de canard, il vient nous regarder, nous autres humains, manger ou bricoler, c'est qu'il sait que c'est nous son frère l'homme et son frère la femme. J'en ai pris ainsi à la main, des petits canards, je n'ai plus eu qu'à leur tordre le cou, parce qu'ils s'approchaient avec leur fraternité, parce qu'ils essayaient de comprendre ce que je faisais, moi leur frère, à couper ma croûte de fromage en y rajoutant de l'oignon.

Frère des canards, voilà notre vrai titre, car cette petite tête qu'ils plongent dans la vase pour barboter têtard et salamandre, quand ils la dressent vers l'homme toute mordorée et bleue, elle n'est plus que propreté, intelligence et tendresse — immangeable d'ailleurs, la cervelle exceptée... Moi je me charge de leur apprendre à pleurer, à des têtes de canard!... Electre n'a donc pas poussé Oreste! Ce qui fait que tout ce qu'elle dit est légitime, tout ce qu'elle entreprend sans conteste. Elle est la vérité sans résidu, la lampe sans mazout, la lumière sans mèche. De sorte que si elle tue, comme cela menace, toute paix et tout bonheur autour d'elle, c'est parce qu'elle a raison! C'est que si l'âme d'une fille, par le plus beau soleil, se sent un point d'angoisse, si elle renifle, dans les fêtes et les siècles les plus splendides, une fuite de mauvais gaz, elle doit y aller, la jeune fille est la ménagère de la vérité, elle doit y aller jusqu'à ce que le monde pète et craque dans les fondements des fondements et les générations des générations, dussent mille innocents mourir la mort des innocents pour laisser le coupable arriver à sa vie de coupable! Regardez les deux innocents. C'est ce qui va être le fruit de leurs noces : remettre à la vie pour le monde et les âges un crime déjà périmé et dont le châtiment lui-même sera un pire crime. Comme ils ont raison de dormir pendant cette heure qu'ils ont encore! Laissons-les. Moi je vais faire un tour. Je les réveillerais. J'éternue toujours trois fois quand la lune prend sa hauteur, et éternuer dans ses mains c'est prendre un risque effroyable. Mais vous tous qui restez, taisez-vous, inclinez-vous!... C'est le premier repos d'Electre!... C'est le dernier repos d'Oreste!

RIDEAU.

ENTRACTE

LAMENTO DU JARDINIER

Moi je ne suis plus dans le jeu. C'est pour cela que je suis libre de venir vous dire ce que la pièce ne pourra vous dire. Dans de pareilles histoires, ils ne vont pas s'interrompre de se tuer et de se mordre pour venir vous raconter que la vie n'a qu'un but, aimer. Ce serait même disgracieux de voir le parricide s'arrêter, le poignard levé, et vous faire l'éloge de l'amour. Cela paraîtrait artificiel. Beaucoup ne le croiraient pas. Mais moi qui suis là, dans cet abandon, cette désolation, je ne vois vraiment pas ce que j'ai d'autre à faire! Et je parle impartialement. Jamais je ne me résoudrai à épouser une autre qu'Electre, et jamais je n'aurai Electre. Je suis créé pour vivre jour et nuit avec une femme, et toujours je vivrai seul. Pour me donner sans relâche en toute saison et occasion, et toujours je me garderai. C'est ma nuit de noces que je passe ici, tout seul, — merci d'être là, — et jamais je n'en aurai d'autre, et le sirop d'oranges que j'avais préparé pour Electre, c'est moi qui ai dû le boire; — il n'en reste plus une goutte, c'était une nuit de noces longue. Alors qui douterait de ma parole! L'inconvénient est que je dis toujours un peu le contraire de ce que je veux dire, mais ce serait vraiment à désespérer aujourd'hui, avec un cœur aussi serré et cette amertume dans la bouche, — c'est amer, au fond, l'orange, — si je parvenais à oublier une minute que j'ai à vous parler de la joie. Joie et Amour, oui. Je viens vous dire que c'est préférable à Aigreur et Haine. Comme devise à graver sur un porche, sur un foulard, c'est tellement mieux, ou en bégonias nains dans un massif. Evidemment, la vie est ratée, mais c'est très, très bien, la vie. Evidemment rien ne va jamais, rien ne s'arrange jamais, mais parfois avouez que cela va admirablement, que cela s'arrange admirablement... Pas pour moi... Ou plutôt pour moi!... Si j'en juge d'après le désir d'aimer, le pouvoir d'aimer tout et tous, que me donne le plus grand malheur de la vie, qu'est-ce que cela doit être pour ceux qui ont des malheurs moindres! Quel amour doivent éprouver ceux qui épousent des femmes qu'ils n'aiment pas, quelle joie ceux qu'abandonne, après qu'ils l'ont eue une heure dans leur maison, la femme qu'ils adorent, quelle admiration, ceux dont les enfants sont trop laids! Evidemment il n'était pas très gai, cette nuit, mon jardin. Comme petite fête, on peut s'en souvenir. J'avais beau faire parfois comme si Electre était près de moi, lui parler, lui dire : « Entrez, Electre! Avez-vous froid, Electre? » Rien ne s'y trompait, pas même le chien, je ne parle pas de moi-même. Il nous a promis une mariée, pensait le chien, et il nous amène un mot. Mon maître s'est marié à un mot; il a mis son vêtement blanc, celui sur lequel mes pattes marquent, qui m'empêche de le caresser, pour se marier à un mot. Il donne du sirop d'oranges à un mot. Il me reproche d'aboyer à des ombres, à de vraies ombres, qui n'existent pas, et lui le voilà qui

essaie d'embrasser un mot. Et je ne me suis pas étendu : me coucher avec un mot, c'était au-dessus de mes forces... On peut parler, avec un mot, et c'est tout!... Mais assis comme moi dans ce jardin où tout divague un peu la nuit, où la lune s'occupe au cadran solaire, où la chouette aveuglée, au lieu de boire au ruisseau, boit à l'allée de ciment, vous auriez compris ce que j'ai compris, à savoir : la vérité. Vous auriez compris le jour où vos parents mouraient, que vos parents naissaient, le jour où vous étiez ruiné, que vous étiez riche; où votre enfant était ingrat, qu'il était la reconnaissance même; où vous étiez abandonné, que le monde entier se précipitait sur vous, dans l'élan et la tendresse. C'est justement ce qui m'arrivait dans ce faubourg vide et muet. Ils se ruaient vers moi tous ces arbres pétrifiés, ces collines immobiles. Et tout cela s'applique à la pièce. Sûrement on ne peut dire qu'Electre soit l'amour même pour Clytemnestre. Mais encore faut-il distinguer. Elle se cherche une mère, Electre. Elle se ferait une mère du premier être venu. Elle m'épousait parce qu'elle sentait que j'étais le seul homme, absolument le seul, qui pouvait être une sorte de mère. Et d'ailleurs je ne suis pas le seul. Il y a des hommes qui seraient enchantés de porter neuf mois, s'il le fallait, pour avoir des filles. Tous les hommes. Neuf mois c'est un peu long, mais de porter une semaine, un jour, pas un homme qui n'en soit fier. Il se peut qu'à chercher ainsi sa mère dans sa mère elle soit obligée de lui ouvrir la poitrine, mais chez les rois c'est plutôt théorique. On réussit chez les rois les expériences qui ne réussissent jamais chez les humbles, la haine pure, la colère pure. C'est toujours de la pureté. C'est cela que c'est, la Tragédie, avec ses incestes, ses parricides : de la pureté, c'est-à-dire en somme de l'innocence.

Je ne sais si vous êtes comme moi; mais moi, dans la Tragédie, la pharaonne qui se suicide me dit espoir, le maréchal qui trahit me dit foi, le duc qui assassine me dit tendresse. C'est une entreprise d'amour, la cruauté... pardon je veux dire la Tragédie. Voilà pourquoi je suis sûr, ce matin, que si je le demandais, le ciel m'approuverait, ferait un signe, qu'un miracle est tout prêt, qui vous montrerait inscrite sur le ciel et vous ferait répéter par l'écho ma devise de délaissé et de solitaire : joie et amour. Si vous voulez, je le lui demande. Je suis sûr comme je suis là qu'une voix d'en haut me répondrait, que résonateurs et amplificateurs et tonnerres de Dieu, Dieu, si je le réclame, les tient tout préparés, pour crier à mon commandement : joie et amour. Mais je vous conseille plutôt de ne pas le demander. D'abord par bienséance. Ce n'est pas dans le rôle d'un jardinier de réclamer de Dieu un orage, même de tendresse. Et puis, c'est tellement inutile. On sent tellement qu'en ce moment, et hier, et demain, et toujours, ils sont tous là-haut, autant qu'ils sont, et même s'il n'y en a qu'un, et même si cet un est absent, prêts à crier joie et amour. C'est tellement plus digne d'un homme de croire les dieux sur parole, — sur parole est un euphémisme, — sans les obliger à accentuer, à s'engager, à créer entre les uns et les autres des obligations de créancier à débiteur. Moi, ç'a toujours été les silences qui me convainquent... Oui, je leur demande de ne pas crier joie et amour, n'est-ce pas? S'ils y tiennent absolument, qu'ils crient. Mais je les conjure plutôt, je vous conjure, Dieu, comme preuve de votre affection, de votre voix, de vos cris, de faire un silence, une seconde de votre silence... C'est tellement plus probant. Ecoutez... Merci.

ACTE DEUXIÈME

Même décor. Peu avant le jour.

SCÈNE PREMIÈRE

ELECTRE toujours assise et tenant Oreste endormi. Le mendiant. Un coq. Une trompette lointaine.

LE MENDIANT

Il n'est plus bien loin, n'est-ce pas, Electre?

ELECTRE

Oui. Elle n'est plus bien loin.

LE MENDIANT

Je dis Il. Je parle du jour.

ELECTRE

Je parle de la lumière.

LE MENDIANT

Cela ne va pas te suffire que les visages des menteurs soient éclatants de soleil? Que les adultères et les assassins se meuvent dans l'azur? C'est cela le jour. Ce n'est déjà pas mal.

ELECTRE

Non. Je veux que leur visage soit noir en plein midi, leurs mains rouges. C'est cela la lumière. Je veux que leurs yeux soient cariés, leur bouche pestilentielle.

LE MENDIANT

Pendant que tu y es, tu ne saurais trop demander.

ELECTRE

C'est le coq... Je le réveille?

LE MENDIANT

Réveille-le si tu veux. Moi je lui donnerais cinq minutes.

ELECTRE

Cinq minutes de néant... Pauvre cadeau.

LE MENDIANT

On ne sait jamais. Il y a un insecte, paraît-il, qui ne vit que cinq minutes. En cinq minutes, il est jeune, adulte, cacochyme, il épuise toutes les combinaisons d'histoires d'enfance, d'adolescence, de déboîtage du genou et de cataracte, d'unions légitimes ou morganatiques. Tiens, depuis que je parle, il doit en être au moins à la rougeole et à la puberté.

ELECTRE

Attendons sa mort. C'est tout ce que j'accorde.

LE MENDIANT

D'autant qu'il dort bien, notre frère.

ELECTRE

Il s'est endormi aussitôt. Il m'a échappé. Il a glissé dans le sommeil comme dans sa vraie vie.

LE MENDIANT

Il y sourit. C'est sa vraie vie.

ELECTRE

Dis-moi tout, mendiant, excepté que la vraie vie d'Oreste est de sourire!

LE MENDIANT

De rire aux éclats, d'aimer, de bien s'habiller, d'être heureux. Je l'ai deviné rien qu'à le voir. Bien servi par l'existence, ce serait un pinson, Oreste.

ELECTRE

Il tombe mal.

LE MENDIANT

Oui, il ne tombe pas très bien. Raison de plus pour ne pas le presser.

ELECTRE

Soit. Puisqu'il a été créé pour rire aux éclats, pour bien s'habiller, puisqu'il est un pinson, Oreste, puisqu'il va se réveiller pour toujours sur l'épouvante, je lui donne cinq minutes.

LE MENDIANT

D'autant qu'à ta place, puisque tu as le choix, je m'arrangerais pour que ce matin le jour et la vérité prennent leur départ en même temps. Cela ne signifierait pas plus qu'un attelage à deux, mais c'est cela qui serait d'une jeune fille, et à moi tu me ferais plaisir. La vérité des hommes colle trop à leurs habitudes, elle part n'importe comment, de neuf heures du matin quand les ouvriers déclarent leur grève, de six heures du soir quand la femme avoue, et cætera : ce sont de mauvais départs, c'est toujours mal éclairé.

Moi je suis habitué aux animaux. Ceux-là savent partir. Le premier bond du lapin dans sa bruyère, à la seconde où surgit le soleil, le premier saut sur son échasse de la sarcelle, le premier galop de l'ourson hors de son rocher, cela, je te l'assure, c'est un départ vers la vérité. S'ils n'arrivent pas, c'est vraiment qu'ils n'ont pas à arriver. Un rien les distrait, un goujon, une abeille. Mais fais comme eux, Electre, pars de l'aurore.

ELECTRE

Heureux règne où le goujon et l'abeille sont les mensonges! Mais ils bougent déjà, tes animaux!

LE MENDIANT

Non. Ce sont ceux de la nuit qui rentrent. Les chouettes, les rats. C'est la vérité de la nuit qui rentre... Chut, écoute les deux derniers, les rossignols naturellement : la vérité des rossignols.

SCÈNE DEUXIÈME

Les mêmes, AGATHE THEOCATHOCLES,
le jeune homme.

AGATHE

O mon amour chéri, tu as bien compris, n'est-ce pas?

LE JEUNE HOMME

Oui. J'aurai réponse à tout.

AGATHE

S'il te trouve dans l'escalier?

LE JEUNE HOMME

Je venais voir le médecin qui habite au-dessus.

AGATHE

Tu oublies déjà! C'est un vétérinaire. Achète un chien... S'il me trouve dans tes bras?

LE JEUNE HOMME

Je t'ai ramassée au milieu de la rue, la cheville foulée.

AGATHE

Si c'est dans notre cuisine?

LE JEUNE HOMME

Je fais l'homme ivre. Je ne sais où je suis Je casse tous les verres.

AGATHE

Un seul suffit, chéri! Un petit. Les grands sont en cristal... Si c'est dans notre chambre, et que nous soyons habillés?

LE JEUNE HOMME

Que c'est lui justement que je cherche, pour parler politique. Qu'il faut vraiment venir là pour le trouver.

AGATHE

Si c'est dans notre chambre, et que nous soyons déshabillés?

LE JEUNE HOMME

Que je suis entré par surprise, que tu me résistes,

que tu es la perfidie même, qui vous aguiche, depuis six mois, et vous reçoit en voleur, le moment arrivé... Une grue!

AGATHE

O mon amour!

LE JEUNE HOMME

Une vraie grue!...

AGATHE

J'ai entendu... O chéri, le jour approche, et je t'ai eu une heure à peine, et combien de temps encore va-t-il consentir à croire que je suis somnambule, et qu'il est moins dangereux de me laisser errer dans les bosquets que sur les toits? O mon cœur, crois-tu qu'il soit un mensonge qui me permette de t'avoir la nuit dans notre lit, moi entre vous deux, et que tout lui paraisse naturel?

LE JEUNE HOMME

Cherche bien. Tu le trouveras.

AGATHE

Un mensonge grâce auquel vous puissiez même vous parler l'un à l'autre, si cela vous plaît, par-dessus ton Agathe, de vos élections et de vos courses... Et qu'il ne se doute de rien... C'est cela qu'il nous faut, c'est cela!

LE JEUNE HOMME

Juste cela.

AGATHE

Hélas! Pourquoi est-il si vaniteux, pourquoi a-t-il le sommeil si léger, pourquoi m'adore-t-il?

LE JEUNE HOMME

C'est la litanie éternelle. Pourquoi l'as-tu épousé! Pourquoi l'as-tu aimé!

AGATHE

Moi! Menteur! Je n'ai jamais aimé que toi!

LE JEUNE HOMME

Que moi! Songe dans les bras de qui je t'ai trouvée avant-hier!

AGATHE

C'est que justement j'avais pris une entorse. Celui dont tu parles me rapportait.

LE JEUNE HOMME

Je connais depuis une minute l'histoire de l'entorse.

AGATHE

Tu ne connais rien. Tu ne comprends rien. Tu ne comprends pas que cet accident m'en a donné l'idée pour nous!

LE JEUNE HOMME

Quand je le croise dans ton escalier, il est sans chiens, je t'assure, et sans chats.

AGATHE

C'est un cavalier. On n'amène pas les chevaux à la consultation.

LE JEUNE HOMME

Et toujours il sort de chez toi.

AGATHE

Pourquoi me forces-tu à trahir un secret d'Etat! Il vient consulter mon mari. On soupçonne un complot dans la ville. Je t'en conjure : ne le dis à personne. Ce serait sa révocation. Tu me mettrais sur la paille.

LE JEUNE HOMME

Un soir, il se hâtait, son écharpe mal mise, sa tunique entrouverte.

AGATHE

Je le pense bien. C'est le jour où il avait voulu m'embrasser. Je l'ai reçu!

LE JEUNE HOMME

Tu ne lui as pas permis de t'embrasser, puissant comme il est? J'attendais en bas! Il est resté deux heures.

AGATHE

Il est resté deux heures, mais je ne lui ai pas permis de m'embrasser.

LE JEUNE HOMME

Il t'a donc embrassée sans permission. Avoue-le, Agathe, ou je pars!

AGATHE

Me contraindre à cet aveu! C'est bien fait pour ma franchise! Oui, il m'a embrassée... Une seule fois... Et sur le front.

LE JEUNE HOMME

Et tu ne trouves pas cela horrible?

AGATHE

Horrible? Epouvantable.

LE JEUNE HOMME

Et tu n'en souffres pas.

AGATHE

Pas du tout... Ah, si j'en souffre? A mourir! A mourir! Embrasse-moi, chéri. Maintenant tu sais tout, et au fond j'en suis heureuse. Tu n'aimes pas mieux que tout soit clair entre nous?

LE JEUNE HOMME

Oui. Je préfère tout au mensonge.

AGATHE

Quelle gentille façon de dire que tu me préfères à tout, mon amour!...

Agathe et le jeune homme sortent.

SCÈNE TROISIÈME

ELECTRE, ORESTE, le mendiant, puis les petites Euménides. Elles ont encore grandi. Elles ont quinze ans.

LE MENDIANT

Une aubade, à l'aube d'un tel jour! C'est toujours cela!

ELECTRE

L'insecte est mort, mendiant?

LE MENDIANT

Et dissous dans la création. Ses arrière-petit-fils se débattent avec la goutte des centenaires.

ELECTRE

Oreste!

LE MENDIANT

Tu vois bien qu'il ne dort plus. Ses paupières sont levées..

ELECTRE

Où es-tu, Oreste? A quoi penses-tu?

PREMIÈRE EUMÉNIDE

Oreste, c'est juste temps; n'écoute pas ta sœur!

DEUXIÈME EUMÉNIDE

Ne l'écoute pas! Nous avons appris ce que contient la vie, c'est fabuleux!

TROISIÈME EUMÉNIDE

Tout à fait par hasard, en grandissant dans la nuit.

DEUXIÈME EUMÉNIDE

Nous ne te disons rien de l'amour, mais cela nous paraît extraordinaire!

PREMIÈRE EUMÉNIDE

Et elle va tout gâter avec son venin.

TROISIÈME EUMÉNIDE

Avec son venin de vérité, le seul sans remède.

PREMIÈRE EUMÉNIDE

Tu as raison. Nous savons à quoi tu penses. C'est magnifique, la royauté, Oreste! Les jeunes filles dans les parcs royaux qui donnent du pain au cygne, cependant que de leur blouse pend le médaillon du roi Oreste, qu'elles embrassent à la dérobée. Le départ pour la guerre, avec les femmes sur les toits, avec le ciel comme une voile, et ce cheval blanc qui steppe sous les musiques. Le retour de la guerre, avec le visage du roi qui paraît maintenant le visage d'un dieu, tout simplement parce qu'il a eu un peu froid, un peu faim, un peu peur, un peu pitié. Si la vérité doit gâter tout cela, qu'elle périsse!

DEUXIÈME EUMÉNIDE

Tu as raison. C'est magnifique, l'amour, Oreste! On ne se quitte jamais, paraît-il. On ne s'est pas plutôt séparé, paraît-il, qu'on revient en courant, qu'on s'agrippe par les mains. Où qu'on aille, on se retrouve aussitôt face à face. La terre est ronde pour ceux qui s'aiment. Déjà je me heurte partout contre celui que j'aime, et il n'existe pas encore. Voilà ce qu'Electre veut te ravir, et à nous aussi, avec sa vérité. Nous voulons aimer. Fuis Electre.

ELECTRE

Oreste!

ORESTE

Je suis réveillé, sœur.

ELECTRE

Réveille-toi de ce réveil. N'écoute pas ces filles!

ORESTE

O Electre, es-tu sûre qu'elles n'ont pas raison! Es-tu sûre que ce n'est pas la pire arrogance, pour un humain, à cette heure, de vouloir retrouver sa propre trace. Pourquoi ne pas prendre la première route, et aller au hasard! Fie-toi à moi. Je suis dans un de ces moments où je vois si nette la piste de ce gibier qui s'appelle le bonheur.

ELECTRE

Hélas, ce n'est pas notre chasse d'aujourd'hui.

ORESTE

Ne plus nous quitter, cela seul compte! Fuyons ce palais. Allons en Thessalie. Tu verras ma maison, perdue dans les roses et les jasmins.

ELECTRE

Tu m'as sauvée du jardinier, Oreste chéri. Ce n'est pas pour me donner aux fleurs.

ORESTE

Laisse-toi convaincre. Glissons-nous hors des bras de cette pieuvre qui va nous enserrer tout à l'heure. Réjouissons-nous d'être réveillés avant elle. Viens!

PREMIÈRE EUMÉNIDE

Elle est réveillée! Regarde ses yeux!

TROISIÈME EUMÉNIDE

Tu as raison. C'est merveilleux, le printemps, Oreste. Quand, par-dessus les haies qui n'ont pas encore poussé, on ne voit que le dos un peu mouvant des animaux qui broutent l'herbe neuve, et que seule la tête de l'âne les dépasse et vous regarde. Elle te paraîtra drôle, la tête de l'âne, si tu es l'assassin de ton oncle. C'est drôle, un âne qui vous regarde quand vous avez les mains rouges du sang de votre oncle.

ORESTE

Que dit-elle?

TROISIÈME EUMÉNIDE

Parlons-en, du printemps! Les mottes de beurre qui

flottent au printemps sur les sources avec le cresson, tu verras quelle caresse elles peuvent être pour le cœur de ceux qui ont tué leur mère. Etends ton beurre sur ton pain avec un couteau, ce jour-là, même si ce n'est pas le couteau qui a tué ta mère, et tu verras.

ORESTE

Aide-moi, Electre!

ELECTRE

Ainsi tu es comme tous les hommes, Oreste! La moindre flatterie les relâche, la moindre fraîcheur les soudoie. T'aider? Je le sais, ce que tu voudrais m'entendre dire.

ORESTE

Alors dis-le-moi.

ELECTRE

Que les humains sont bons, après tout, que la vie après tout est bonne!

ORESTE

N'est-ce pas vrai?

ELECTRE

Que ce n'est pas un mauvais sort que d'être jeune, beau et prince. D'avoir une sœur jeune et princesse. Qu'il suffit de laisser les hommes à leurs petites occupations de bassesse et de vanité, de ne pas presser sur les pustules humaines, et de vivre des beautés du monde!

ORESTE

Et ce n'est pas ce que tu me dis?

ELECTRE

Non. Je te dis que notre mère a un amant.

ORESTE

Tu mens! C'est impossible!

PREMIÈRE EUMÉNIDE

Elle est veuve. Elle a bien raison.

ELECTRE

Je te dis que notre père a été tué!

ORESTE

Tué, Agamemnon!

ELECTRE

Poignardé par des assassins.

DEUXIÈME EUMÉNIDE

Il y a sept ans. C'est de l'histoire ancienne.

ORESTE

Et tu savais cela, et tu m'as laissé dormir toute une nuit!

ELECTRE

Je ne le savais pas. C'est là justement le cadeau de la nuit. Elle a rejeté ces vérités sur son visage. Je saurai désormais comment font les devineresses. Elles pressent toute une nuit leur frère endormi contre leur cœur.

ORESTE

Notre père, tué! Qui te l'a dit?

ELECTRE

Lui-même

ORESTE

Il t'a parlé, avant de mourir?

ELECTRE

Il m'avait parlé mort, le jour même du meurtre, mais cette parole a mis sept ans à m'atteindre.

ORESTE

Il t'est apparu?

ELECTRE

Non. Son cadavre cette nuit m'est apparu, tel qu'il était le jour du meurtre, mais c'était lumineux, il suffisait de lire : il y avait dans son vêtement un pli qui disait : je ne suis pas le pli de la mort, mais le pli de l'assassinat. Et il y avait sur le soulier une boucle qui répétait : je ne suis pas la boucle de l'accident, mais la boucle du crime. Et il y avait dans la paupière retombée une ride qui disait : je n'ai pas vu la mort, j'ai vu les régicides.

ORESTE

Pour notre mère, qui te l'a dit?

ELECTRE

Elle-même. Encore elle-même.

ORESTE

Elle a avoué?

ELECTRE

Non. Je l'ai vue morte. Son cadavre d'avance l'a trahie. Aucun doute. Son sourcil était le sourcil d'une femme morte qui a eu un amant.

ORESTE

Quel est cet amant? Quel est cet assassin?

ELECTRE

C'est pour le trouver que je t'éveille. Espérons que c'est le même. Tu n'auras qu'un coup à donner.

ORESTE

Je crois qu'il vous faut partir, mes filles. Ma sœur m'offre à mon réveil une reine qui se prostitue et un roi assassiné... Mes parents.

PREMIÈRE EUMÉNIDE

Ce n'est déjà pas mal. N'y ajoute rien.

ELECTRE

Pardon, Oreste.

DEUXIÈME EUMÉNIDE

Elle s'excuse maintenant.

TROISIÈME EUMÉNIDE

Je te perds ta vie, et je m'excuse.

LE MENDIANT

Elle a tort de s'excuser. C'est ce genre de réveil que nous réservent habituellement nos femmes et nos sœurs. Il faut croire qu'elles sont faites pour cela.

ELECTRE

Elles ne sont faites que pour cela. Epouses, belles-sœurs, belles-mères, toutes, quand les hommes au matin ne voient plus, par leurs yeux engourdis, que la pourpre et l'or, c'est elles qui les secouent, qui leur tendent avec le café et l'eau chaude, la haine de l'injustice et le mépris du petit bonheur.

ORESTE

Pardon, Electre!

DEUXIÈME EUMÉNIDE

A son tour de s'excuser. Ils sont polis dans la famille!

PREMIÈRE EUMÉNIDE

Ils enlèvent leur tête pour se saluer.

ELECTRE

Et elles épient leur réveil. Et les hommes, n'eussent-ils dormi que cinq minutes, ils ont repris l'armure du bonheur : la satisfaction, l'indifférence, la générosité, l'appétit. Et une tache de soleil les réconcilie avec toutes les taches de sang. Et un chant d'oiseau avec tous les mensonges. Mais elles sont là toutes, sculptées par l'insomnie, avec la jalousie, l'envie, l'amour, la mémoire : avec la vérité. Tu es réveillé, Oreste?

PREMIÈRE EUMÉNIDE

Et nous allons avoir son âge dans une heure! Que le ciel nous fasse différentes!

ORESTE

Je pense que je m'éveille.

LE MENDIANT

Votre mère vient, mes enfants.

ORESTE

Où est mon épée?

ELECTRE

Bravo. Voilà ce que j'appelle un bon réveil. Prends ton épée. Prends ta haine. Prends ta force.

SCÈNE QUATRIÈME

Les mêmes, CLYTEMNESTRE.

CLYTEMNESTRE

Leur mère paraît. Et ils deviennent des statues.

ELECTRE

Des orphelins, tout au plus.

CLYTEMNESTRE

Je n'écouterai plus une fille insolente!

ELECTRE

Ecoute le fils.

ORESTE

Qui est-ce, mère? Avoue!

CLYTEMNESTRE

Quels enfants êtes-vous qui, en deux mots, faites de notre rencontre un drame? Laissez-moi, ou j'appelle!

ELECTRE

Qui appelles-tu? Lui?

ORESTE

Tu te débats beaucoup, mère.

LE MENDIANT

Attention, Oreste. Le gibier innocent se débat comme l'autre.

CLYTEMNESTRE

Le gibier? Quelle sorte de giber suis-je pour mes enfants? Parle, Oreste, parle!

ORESTE

Je n'ose!

CLYTEMNESTRE

Electre, alors. Elle osera.

ELECTRE

Qui est-ce, mère?

CLYTEMNESTRE

De qui, de quoi voulez-vous parler?

ORESTE

Mère, est-ce vrai que tu as...

ELECTRE

Ne précise donc pas, Oreste. Demande-lui simplement qui est-ce. Il y a en elle un nom. Quelle que soit ta question, si tu la presses bien, le nom sortira...

ORESTE

Mère, est-ce vrai que tu as un amant?

CLYTEMNESTRE

C'est aussi ta question, Electre?

ELECTRE

On peut la poser ainsi.

CLYTEMNESTRE

Mon fils et ma fille me demandent si j'ai un amant?

ELECTRE

Ton mari ne peut plus te le demander.

CLYTEMNESTRE

Les dieux rougiraient de t'entendre.

ELECTRE

Cela m'étonnerait. Ils rougissent rarement depuis quelque temps.

CLYTEMNESTRE

Je n'ai pas d'amant. Mais veillez à vos actes. Tout le mal du monde est venu de ce que les soi-disant purs ont voulu déterrer les secrets et les ont mis en plein soleil.

ELECTRE

La pourriture née du soleil, je l'accepte.

CLYTEMNESTRE

Je n'ai pas d'amant. Je ne peux avoir d'amant, même si je le désirais. Mais prenez garde. Les curieux n'ont pas eu de chance dans notre famille : ils pistaient un vol et découvraient un sacrilège; ils suivaient une liaison et butaient contre un inceste. Vous ne découvrirez pas que j'ai un amant, puisque je n'en ai pas, mais vous trébucherez sur quelque pavé mortel pour vos sœurs et pour vous-mêmes.

ELECTRE

Quel est ton amant?

ORESTE

Ecoute-la, du moins, Electre!

CLYTEMNESTRE

Je n'ai pas d'amant. Mais allez-vous me dire où serait le crime, si j'en avais un?

ORESTE

O mère, tu es reine!

CLYTEMNESTRE

Le monde n'est pas vieux, et le jour vient de naître. Mais il nous faudrait déjà au moins jusqu'au crépuscule pour citer les reines qui ont eu un amant.

ORESTE

Mère, je t'en supplie. Combats ainsi, combats encore! Convaincs-nous. Si cette lutte nous rend une reine, bénie soit-elle, tout nous est rendu!

ELECTRE

Tu ne vois pas que tu lui fournis ses armes, Oreste?

CLYTEMNESTRE

Très bien. Laisse-moi seule avec Electre, veux-tu?

ORESTE

Le faut-il, sœur?

ELECTRE

Oui. Oui. Attends là, sous la voûte. Et dès que je crierai Oreste, accours. Accours de toute ta vitesse. C'est que je saurai tout.

SCÈNE CINQUIÈME

CLYTEMNESTRE, ELECTRE, le mendiant.

CLYTEMNESTRE

Aide-moi, Electre!

ELECTRE

T'aider à quoi? A dire la vérité, ou à mentir?

CLYTEMNESTRE

Protège-moi.

ELECTRE

Voilà la première fois que tu te penches vers ta fille, mère. Tu dois avoir peur.

CLYTEMNESTRE

J'ai peur d'Oreste.

ELECTRE

Tu mens. Tu n'as point peur d'Oreste. Tu le vois comme il est : passionné, changeant, faible. Il rêve encore d'une idylle chez les Atrides. C'est moi que tu redoutes pour moi que tu joues ce jeu dont le sens m'échappe encore. Tu as un amant, n'est-ce pas? Qui est-il?

CLYTEMNESTRE

Lui ne sait rien. Lui n'est pas en cause.

ELECTRE

Il ne sait pas qu'il est ton amant?

CLYTEMNESTRE

Cesse d'être ce juge, Electre. Cesse ta poursuite. Tu es ma fille, après tout.

ELECTRE

Après tout. Après exactement tout. A ce titre je te poursuis.

CLYTEMNESTRE

Alors, cesse d'être ma fille. Cesse de me haïr. Sois seulement ce que je cherche en toi, une femme. Prends ma cause, elle est la tienne. Défends-toi en me défendant.

ELECTRE

Je ne suis pas inscrite à l'association des femmes. Il faudra une autre que toi pour m'embaucher.

CLYTEMNESTRE

Tu as tort. Si tu trahis ta compagne de condition, de corps, d'infortune, c'est de toi la première qu'Oreste prendra horreur. Le scandale n'est jamais retombé que sur ceux qui le provoquent. A quoi te sert d'éclabousser toutes les femmes en m'éclaboussant! Tu souilleras pour les yeux d'Oreste tout ce par quoi tu me ressembles.

ELECTRE

Je ne te ressemble en rien. Depuis longtemps, je ne regarde plus mon miroir que pour m'assurer de cette chance. Tous les marbres polis, tous les bassins d'eau du palais me l'ont déjà crié, ton visage me le crie : le nez d'Electre n'a rien du nez de Clytemnestre. Mon front est à moi. Ma bouche est à moi. Et je n'ai pas d'amant.

CLYTEMNESTRE

Ecoute-moi! Je n'ai pas d'amant. J'aime.

ELECTRE

N'essaie pas de cette ruse. Tu jettes dans mes pieds l'amour comme les voituriers poursuivis par les loups leur jettent un chien. Le chien n'est pas ma nourriture.

CLYTEMNESTRE

Nous sommes femmes, Electre, nous avons le droit d'aimer.

ELECTRE

Je sais qu'on a beaucoup de droits dans la confrérie des femmes. Si vous payez le droit d'entrée, qui est lourd, qui est d'admettre que les femmes sont faibles, menteuses, basses, vous avez le droit général de faiblesse, de mensonge, de bassesse. Le malheur est que les femmes sont fortes, loyales, bonnes. Alors tu te trompes. Tu n'avais le droit d'aimer que mon père. L'aimais-tu? Le soir de tes noces, l'aimais-tu?

CLYTEMNESTRE

Où veux-tu en venir? Tu veux m'entendre dire que ta naissance ne doit rien à mon amour, que tu as été conçue dans la froideur? Sois satisfaite. Tout le monde ne peut pas être comme ta tante Léda, et pondre des œufs. Mais pas une fois tu n'as parlé en moi. Nous avons été des indifférentes dès ta première minute. Tu ne m'as même pas fait souffrir à ta naissance. Tu étais menue, réticente. Tu serrais les lèvres.

Si un an tu as serré obstinément les lèvres, c'est de peur que ton premier mot ne soit le nom de ta mère. Ni toi ni moi n'avons pleuré ce jour-là. Ni toi ni moi n'avons jamais pleuré ensemble.

ELECTRE

Lès parties de pleurs ne m'intéressent pas.

CLYTEMNESTRE

Tu pleureras bientôt, sois-en sûre, et peut-être sur moi.

ELECTRE

Les yeux peuvent pleurer tout seuls. Ils sont là pour cela.

CLYTEMNESTRE

Oui, et même les tiens, qui ont l'air de deux pierres. Un jour les pleurs les noieront.

ELECTRE

Vienne ce jour... Mais pourquoi lances-tu maintenant dans mes jambes, pour me retenir, la froideur au lieu de l'amour?

CLYTEMNESTRE

Pour que tu comprennes que j'ai le droit d'aimer. Pour que tu saches que tout dans ma vie a été dur comme ma fille à son premier jour. Depuis mon mariage, jamais de solitude, jamais de retraite. Je n'ai été dans les forêts que les jours de procession. Pas de repos, même pour mon corps. Il était couvert toute la journée par des robes d'or, et la nuit par un roi. Partout une méfiance qui gagnait jusqu'aux objets, jusqu'aux animaux, jusqu'aux plantes. Souvent en voyant les tilleuls du palais, maussades, silencieux, avec leur odeur de nourrice, je me disais : ils me font la tête d'Electre le jour de sa naissance. Jamais une reine n'a eu à ce point le lot des reines, l'absence du mari, la méfiance des fils, la haine des filles... Que me restait-il?

ELECTRE

Ce qui restait aux autres, l'attente.

CLYTEMNESTRE

L'attente de quoi? L'attente est horrible.

ELECTRE

Celle qui t'étreint en ce moment, peut-être.

CLYTEMNESTRE

Tu peux me dire qui tu attends, toi?

ELECTRE

Je n'attends plus rien, mais dix ans j'ai attendu mon père. Le seul bonheur que j'ai connu en ce monde est l'attente.

CLYTEMNESTRE

C'est un bonheur pour vierges. C'est un bonheur solitaire.

ELECTRE

Crois-tu? A part toi, à part les hommes, il n'était rien dans le palais qui n'attendît mon père avec moi, qui ne fût complice ou partie dans mon attente. Cela commençait le matin, mère, à ma première promenade sous ces tilleuls qui te haïssent, qui attendaient mon père d'une attente qu'ils essayaient vainement de comprimer en eux, vexés de vivre par années et non comme il l'aurait fallu, par décades, honteux de l'avoir trahi à chaque printemps quand ils ne pouvaient plus contenir leurs fleurs et leurs parfums, et qu'ils défaillaient avec moi sur son absence. Cela continuait à midi, quand j'allais au torrent, le plus fortuné de nous tous, qui lui pouvait bouger, qui attendait mon père en courant vers un fleuve qui courait vers la mer. Cela se poursuivait le soir, quand je n'avais plus la force d'attendre près de ses chiens, de ses chevaux, pauvres bêtes trop mortelles, incapables par nature de l'attendre des siècles, et que je me réfugiais vers les colonnes, les statues. Je prenais modèle sur elles. J'attendais, debout, sous la lune, pendant des heures, immobile, comme elles, sans penser, sans vivre. Je l'attendais d'un cœur de pierre, de marbre, d'albâtre, d'onyx, mais qui battait et me fracassait la poitrine... Où en serais-je s'il n'y avait pas encore des heures où j'attends encore, où j'attends le passé, où je l'attends encore!

CLYTEMNESTRE

Moi je n'attends plus, j'aime.

ELECTRE

Et tout va pour toi, maintenant?

CLYTEMNESTRE

Tout va.

ELECTRE

Les fleurs t'obéissent enfin? Les oiseaux te parlent?

CLYTEMNESTRE

Oui, tes tilleuls me font des signes.

ELECTRE

C'est bien possible, tu m'as tout volé dans la vie.

CLYTEMNESTRE

Aime. Nous partagerons.

ELECTRE

Partager l'amour avec toi? C'est comme si tu m'offrais de partager ton amant. Qui est-ce?

CLYTEMNESTRE

O Electre, pitié! Je te le dirai, son nom, dût-il te faire rougir. Mais laisse passer quelques jours. Qu'attends-tu d'un scandale? Songe à ton frère. Comment imaginer que le peuple d'Argos laisse jamais Oreste succéder à une mère indigne?

ELECTRE

Une mère indigne? Que cherches-tu par cet aveu? Quel temps veux-tu gagner? Quel piège me tends-tu? Quelle couvée veux-tu sauver, comme la perdrix, en boitant du côté de l'amour et de l'indignité?

CLYTEMNESTRE

Epargne-moi une honte publique. Pourquoi me forcer à avouer que j'aime au-dessous de mon rang!

ELECTRE

Un petit lieutenant, sans nom, sans grade?

CLYTEMNESTRE

Oui.

ELECTRE

Tu mens. Si ton amant était un petit officier sans nom et sans gloire, s'il était le baigneur, l'écuyer, tu l'aimerais. Mais tu n'aimes pas, tu n'as jamais aimé. Qui est-ce? Pourquoi me refuses-tu ce nom comme on refuse une clef? Quel meuble as-tu peur que l'on ouvre avec ce nom-là?

CLYTEMNESTRE

Un meuble qui est à moi, mon amour.

ELECTRE

Dis-moi le nom de ton amant, mère, et je te dirai si tu aimes. Et il restera entre nous pour toujours.

CLYTEMNESTRE

Jamais.

ELECTRE

Tu vois! Ce n'est pas ton amant, c'est ton secret que tu me caches. Tu as peur que son nom me donne la seule preuve qui m'échappe encore, dans cette chasse!

CLYTEMNESTRE

Quelle preuve? Tu es folle!

ELECTRE

La raison du forfait. Tout me dit que tu l'as commis, mère. Mais ce que je ne vois pas encore, ce qu'il faut que tu m'apprennes, c'est pourquoi tu l'aurais commis. Toutes les clefs, comme tu dis, je les ai essayées. Aucune n'ouvre encore. Ni l'amour. Tu n'aimes rien. Ni l'ambition. Tu te moques d'être reine. Ni la colère. Tu es réfléchie, tu calcules. Mais le nom de ton amant va tout éclairer, va tout nous dire, n'est-ce pas? Qui aimes-tu? Qui est-ce?

SCÈNE SIXIÈME

Les mêmes. AGATHE poursuivie par le président

LE PRÉSIDENT

Qui est-ce? Qui aimes-tu?

AGATHE

Je te hais.

LE PRÉSIDENT

Qui est-ce?

AGATHE

Je te dis que c'est fini. Fini le mensonge. Electre a raison. Je passe dans son camp. Merci, Electre! Tu me donnes la vie!

LE PRÉSIDENT

Que chante-t-elle?

AGATHE

La chanson des épouses. Tu vas la connaître.

LE PRÉSIDENT

Elle va chanter, maintenant!

AGATHE

Oui, nous sommes toutes là, avec nos maris insuffisants ou nos veuvages. Et toutes nous nous consumons à leur rendre la vie et la mort agréables. Et s'il mangent de la laitue cuite il leur faut le sel et un sourire. Et s'ils fument, il nous faut allumer leur ignoble cigare avec la flamme de notre cœur!

LE PRÉSIDENT

Pour qui parles-tu? Tu m'as vu jamais manger de la laitue cuite?

AGATHE

Ton oseille, si tu veux.

LE PRÉSIDENT

Et il n'en mange pas d'oseille et il ne fume pas le cigare, ton amant?

AGATHE

L'oseille mangée par mon amant devient une ambroisie, dont je lèche les restes. Et tout ce qui est souillé quand mon mari le touche sort purifié de ses mains ou de ses lèvres... Moi-même... Et Dieu sait!

ELECTRE

J'ai trouvé, mère, j'ai trouvé!

LE PRÉSIDENT

Reviens à toi, Agathe!

AGATHE

Justement. J'y reviens. J'y suis enfin revenue!... Et vingt-quatre heures par jour, nous nous tuons, nous nous suicidons pour la satisfaction d'un être dont le mécontentement est notre seule joie, pour la présence d'un mari dont l'absence est notre seule volupté, pour la vanité du seul homme qui nous montre journellement ce qui nous humilie le plus au monde, ses orteils et la petite queue de son linge. Et voilà qu'il ose nous reprocher de lui dérober par semaine, une heure de cet enfer!... Mais alors, c'est vrai, il a raison! Quand cette heure merveilleuse arrive, nous n'y allons pas de main morte!

LE PRÉSIDENT

Voilà ton ouvrage. Electre. Ce matin encore, elle m'embrassait!

AGATHE

Je suis jolie et il est laid. Je suis jeune et il est vieux. J'ai de l'esprit et il est bête. J'ai une âme et il n'en a pas. Et c'est lui qui a tout. En tout cas il m'a. Et c'est moi qui n'ai rien. En tout cas, je l'ai. Et jusqu'à ce matin, moi qui donnais tout, c'est moi qui devais paraître comblée. Pourquoi?... Je lui cire ses chaussures. Pourquoi?... Je lui brosse ses pellicules. Pourquoi?... Je lui filtre son café. Pourquoi? Alors que la vérité serait que je l'empoisonne, que je frotte son col de poix et de cendre. Les souliers encore, je comprends. Je crachais sur eux. Je crachais sur toi. Mais c'est fini, c'est fini... Salut, ô vérité. Electre m'a donné son courage. C'est fait, c'est fait. J'aime autant mourir!

LE MENDIANT

Elles chantent bien, les épouses.

LE PRÉSIDENT

Qui est-ce?

ELECTRE

Ecoute, mère! Ecoute-toi! C'est toi qui parles!

AGATHE

Qui est-ce? Ils croient, tous ces maris, que ce n'est qu'une personne!

LE PRÉSIDENT

Des amants? Tu as des amants?

AGATHE

Ils croient que nous ne les trompons qu'avec des amants. Avec les amants aussi, sûrement... Nous vous trompons avec tout. Quand ma main glisse, au réveil, et machinalement tâte le bois du lit, c'est mon premier adultère. Employons-le, pour une fois, ton mot adultère. Que je l'ai caressé, ce bois, en te tournant le dos, durant mes insomnies! C'est de l'olivier. Quel grain doux! Quel nom charmant! Quand j'entends le mot olivier dans la rue, j'en ai un sursaut. J'entends le nom de mon amant! Et mon second adultère, c'est quand mes yeux s'ouvrent et voient le jour à travers la persienne. Et mon troisième, c'est quand mon pied touche l'eau du bain, c'est quand j'y plonge. Je te trompe avec mon doigt, avec mes yeux, avec la plante de mes pieds. Quand je te regarde, je te trompe. Quand je t'écoute, quand je feins de t'admirer à ton tribunal, je te trompe. Tue les oliviers, tue les pigeons, les enfants de cinq ans, fillettes et garçons, et l'eau, et la terre, et le feu! Tue ce mendiant. Tu es trompé par eux.

LE MENDIANT

Merci.

LE PRÉSIDENT

Et hier soir encore cette femme me versait ma tisane. Et elle la trouvait trop tiède! Et elle faisait rebouillir de l'eau! Vous êtes content, vous! Un petit scandale à l'intérieur d'un grand n'est pas pour vous déplaire!

LE MENDIANT

Non. C'est l'écureuil dans la grande roue. Cela lui donne son vrai mouvement.

LE PRÉSIDENT

Et cet esclandre devant la reine elle-même, vous l'excusez!

ELECTRE

La reine envie Agathe. La reine aurait donné sa vie pour s'offrir une fois ce qu'Agathe s'offre aujourd'hui. Qui est-ce, mère?

LE MENDIANT

En effet. Ne vous laissez pas distraire, président. Voilà presque une minute que vous ne lui avez demandé qui est-ce.

LE PRÉSIDENT

Qui est-ce?

AGATHE

Je te l'ai dit. Tous. Tout.

LE PRÉSIDENT

C'est à se tuer! A se jeter la tête contre le mur!

AGATHE

Ne te gêne pas pour moi. Le mur mycénien est solide.

LE PRÉSIDENT

Il est jeune? Il est vieux?

AGATHE

L'âge de l'amant? Cela va de seize à quatre-vingts.

LE PRÉSIDENT

Et elle croit me rabaisser en m'insultant! Tes injures n'atteignent que toi, femme perdue!

AGATHE

Je sais. Je sais. L'outrage appelle la majesté. Dans la rue les plus dignes sont ceux qui viennent de glisser sur du crottin.

LE PRÉSIDENT

Tu vas enfin me connaître! Quels qu'ils soient, tes amants, le premier que je vais rencontrer ici, je le tue!

AGATHE

Le premier que tu rencontres ici? Tu choisis mal tes endroits. Tu ne pourras même pas le regarder en face.

LE PRÉSIDENT

Je l'oblige à s'agenouiller, je lui fais baiser et lécher le marbre.

AGATHE

Tu vas voir comment il le baise et le lèche, le marbre, tout à l'heure, quand il entrera dans cette cour et viendra s'asseoir sur ce trône.

LE PRÉSIDENT

Que dis-tu, misérable!

AGATHE

Je dis que j'ai présentement deux amants, et que l'un des deux c'est Egisthe.

CLYTEMNESTRE

Menteuse!

AGATHE

Comment, elle aussi!

ELECTRE

Toi aussi, mère?

LE MENDIANT

C'est curieux. Moi, j'aurais plutôt cru que si Egisthe se sentait un penchant, c'était pour Electre.

L'ÉCUYER, annonçant.

Egisthe!

ELECTRE

Enfin!

LES EUMÉNIDES

Egisthe!

Egisthe paraît. Infiniment plus majestueux et serein qu'au premier acte. Très haut, un oiseau plane au-dessus de lui.

SCÈNE SEPTIÈME

Les mêmes, EGISTHE, un capitaine, soldats.

EGISTHE

Electre est là... Merci, Electre! Je m'installe ici, capitaine. Le quartier général est ici.

CLYTEMNESTRE

Moi aussi, je suis là.

EGISTHE

Je m'en réjouis. Salut, reine!

LE PRÉSIDENT

Et moi aussi, Egisthe!

EGISTHE

Parfait, président. J'ai justement besoin de tes services.

LE PRÉSIDENT

En plus il nous insulte!

EGISTHE

Qu'avez-vous, tous et toutes, à me regarder ainsi?

LE MENDIANT

Elles ont que la reine attend un parjure, Electre un impie, Agathe un infidèle. Lui est plus modeste, il attend celui qui caresse sa femme... On vous attend, quoi! Et ce n'est pas vous qui venez!

EGISTHE

Ils n'ont vraiment pas de chance, n'est-ce pas, mendiant?

LE MENDIANT

Non, ils n'ont pas de chance. Attendre tant de vauriens, et voir entrer un roi! Pour les autres, cela m'est égal. Mais pour cette petite Electre, cela va compliquer les choses.

EGISTHE

Crois-tu? Je crois que non.

LE MENDIANT

Je savais que cela arriverait! Je vous l'ai dit hier. Je sentais que le roi allait se déclarer en vous! Il y avait votre force, votre âge. Il y avait l'occasion. Il y avait le voisinage d'Electre. Cela aurait pu être un coup de sang. Cela a été ça... Vous vous êtes déclaré!... Tant mieux pour la Grèce. Mais ça n'en est pas plus gai pour la famille.

CLYTEMNESTRE

Quelles sont ces énigmes? De quoi parlez-vous?

LE MENDIANT

Tant mieux pour nous aussi! Puisqu'il doit y avoir un bras-le-corps, autant le bras-le-corps d'Electre avec la noblesse qu'avec la turpitude! Comment cela vous est-il arrivé, Egisthe?

EGISTHE, contemplant Electre.

Electre est là! Je savais que j'allais la trouver ainsi, avec sa tête de statue, ses yeux qui ne semblent voir que si les paupières sont baissées, sourde pour le langage humain!

CLYTEMNESTRE

Ecoutez-moi, Egisthe!

LE PRÉSIDENT

Tu choisis bien tes amants, Agathe! Quelle effronterie!

LE CAPITAINE

Egisthe, le temps presse!

EGISTHE

Ce sont des ornements, n'est-ce pas, Electre, tes oreilles? De purs ornements... Les dieux se sont dit :

puisque nous lui avons donné des mains pour qu'elle ne touche pas, des yeux pour qu'elle soit vue, on ne peut non plus laisser la tête d'Electre sans oreilles! On verrait trop qu'elle n'entend que nous!... Mais dis-moi ce que l'on entend, quand on pose l'oreille contre elles! Quel bruissement? Qui vient d'où?

CLYTEMNESTRE

Etes-vous fou! Prenez garde! Elles vous entendent les oreilles d'Electre.

LE PRÉSIDENT

Elles en rougissent!

EGISTHE

Elles m'entendent. J'en suis bien convaincu. Depuis ce qui m'est arrivé, tout à l'heure, à la lisière de ce bois d'où l'on voit Argos, ma parole vient d'au-delà de moi. Et je sais qu'elle me voit aussi, qu'elle est seule à me voir. Seule elle a deviné ce que je suis depuis cette minute.

CLYTEMNESTRE

Vous parlez à votre pire ennemie, Egisthe!

EGISTHE

Elle sait pourquoi de cette montagne, j'ai soudain piqué des deux vers la ville! On eût dit que mon cheval comprenait, Electre. C'est beau, un alezan clair chargeant vers Electre, suivi du tonnerre de l'escadron où la conscience de charger vers Electre allait diminuant, des étalons blancs des trompettes aux juments pie des serre-files. Ne t'étonne pas s'il passe la tête tout à l'heure à travers les colonnes, hennissant vers toi! Il comprenait que j'étouffais, que j'avais ton nom sur ma bouche comme un tampon d'or. Il fallait que je crie ton nom, et à toi-même... Je le crie, Electre?

CLYTEMNESTRE

Cessez ce scandale, Egisthe!

LE CAPITAINE

Egisthe, la ville est en péril!

EGISTHE

C'est vrai. Excusez-moi!... Où en sont-ils maintenant, capitaine?

LE CAPITAINE

On voit leurs lances émerger des collines. Jamais moisson n'a poussé aussi vite. Et aussi drue. Ils sont des milliers.

EGISTHE

La cavalerie n'a rien pu contre eux?

LE CAPITAINE

Elle s'est rabattue avec des prisonniers.

CLYTEMNESTRE

Que se passe-t-il, Egisthe?

LE CAPITAINE

Les Corinthiens nous envahissent, sans déclaration de guerre, sans raison. Ils ont pénétré la nuit dans notre territoire par bandes. Déjà les faubourgs brûlent

EGISTHE

Que disent les prisonniers?

LE CAPITAINE

Qu'ils sont en ordre de ne laisser d'Argos que pierre sur pierre.

CLYTEMNESTRE

Montrez-vous, Egisthe, et ils fuient!

EGISTHE

J'ai peur que cela ne suffise plus, reine.

LE CAPITAINE

Ils ont des complices dans la ville. On vient de voler les tonneaux de poix en réserve, pour incendier les quartiers bourgeois. Des hordes de mendiants s'assemblent autour des halles, prêts à piller.

CLYTEMNESTRE

Si la garde est fidèle, qu'y a-t-il à craindre?

LE CAPITAINE

La garde est prête à se battre. Mais elle murmure. Vous le savez : elle n'a jamais obéi de bon cœur à une femme. Comme la ville, d'ailleurs. Si l'armée s'appelle l'armée et la ville la ville, il faut bien le dire : c'est qu'elles sont des femmes. Toutes deux réclament un homme, un roi.

EGISTHE

Elles ont raison. Elles vont l'avoir.

LE PRÉSIDENT

Celui qui voudra être roi d'Argos devra d'abord tuer Clytemnestre, Egisthe.

LE MENDIANT

Ou l'épouser, simplement.

LE PRÉSIDENT

Jamais!

EGISTHE

Pourquoi jamais? La reine ne niera pas que c'est le seul moyen de sauver Argos. Je ne doute pas de son assentiment. Capitaine, annonce à la garde que le mariage est célébré, à l'instant même. Qu'on me tienne au courant chaque minute. J'attends ici les messages. Quant à toi, président, cours au-devant des émeutiers, et, de ta voix la plus enthousiaste, fais-leur part de la nouvelle.

LE PRÉSIDENT

Jamais! J'ai d'abord un mot à vous dire d'homme à homme, toutes affaires cessantes.

EGISTHE

Les affaires d'Argos cessantes, la guerre cessante? Tu vas fort!

LE PRÉSIDENT

Il s'agit de mon honneur, de l'honneur des juges grecs.

LE MENDIANT

Si la justice grecque a cru devoir loger son honneur dans les jambes d'Agathe, elle n'a que ce qu'elle mérite. Ne nous encombre pas en un moment pareil! — Regarde-la, Agathe, si elle se soucie de l'honneur des juges grecs, avec son nez levé!

LE PRÉSIDENT

Son nez levé! Tu as le nez levé en un moment pareil, Agathe!

AGATHE

J'ai le nez levé. Je regarde cet oiseau qui plane au-dessus d'Egisthe.

LE PRÉSIDENT

Baisse-le.

EGISTHE

J'attends votre réponse, reine.

CLYTEMNESTRE

Un oiseau? Quel est cet oiseau? Otez-vous de dessous cet oiseau Egisthe!

EGISTHE

Pourquoi? Il ne me quitte plus depuis le lever du soleil. Il doit avoir ses raisons! Mon cheval le premier l'a senti. Il ruait sans raison. J'ai regardé partout, et enfin là-haut. Il ruait contre cet oiseau à mille pieds. Juste au-dessus de moi, n'est-ce pas, mendiant?

LE MENDIANT

Juste au-dessus. Si vous aviez mille pieds, c'est là que serait votre tête.

EGISTHE

Comme un accent, n'est-ce pas, un accent au-dessus d'une lettre?

LE MENDIANT

Oui, vous êtes présentement l'homme le mieux accentué de Grèce. Il s'agit de savoir si l'accent est sur le mot « humain » ou sur le mot « mortel ».

CLYTEMNESTRE

Je n'aime pas ces oiseaux planeurs. Qu'est-ce que c'est? Un milan, un aigle?

LE MENDIANT

Il est trop haut. Je pourrais le reconnaître à l'ombre. Mais de si haut, elle n'arrive pas jusqu'à nous, elle se perd.

LE CAPITAINE, revenant.

La garde se réjouit, Egisthe! Elle se prépare au combat avec joie. Elle attend que vous paraissiez au balcon, avec la reine, pour vous acclamer.

EGISTHE

Mon serment, et je viens!

LE PRÉSIDENT

Electre, aidez-moi. De quel droit ce débauché vient-il nous donner des leçons de courage!

LE MENDIANT

De quel droit? Ecoute!...

EGISTHE

O puissances du monde, puisque je dois vous invoquer, à l'aube de ce mariage et de cette bataille, merci pour ce don que vous m'avez fait, tout à l'heure, de la colline qui surplombe Argos à la seconde où le brouillard s'est évanoui. J'étais descendu de cheval, fatigué des patrouilles de la nuit, j'étais adossé au talus, et soudain vous m'avez montré Argos, comme je ne l'avais jamais vue : neuve, recréée pour moi, et me l'avez donnée. Vous me l'avez donnée toute, ses tours, ses ponts, les fumées qui montaient des silos des maraîchers, première haleine de sa terre, et le pigeon qui s'éleva, son premier geste, et le grincement de ses écluses, son premier cri. Et tout dans ce don était de valeur égale, Electre, le soleil levant sur Argos et la dernière lanterne dans Argos, le temple et les masures, le lac et les tanneries. Et c'était pour toujours!... Pour toujours j'ai reçu ce matin ma ville comme une mère son enfant. Et je me demandais avec angoisse si le don n'était pas plus large, si l'on ne m'avait pas donné beaucoup plus qu'Argos. Dieu au matin ne mesure pas ses cadeaux : il pouvait aussi bien m'avoir donné le monde. C'eût été affreux. C'eût été pour moi le désespoir de celui qui, pour sa fête, attend un diamant et auquel on donne le soleil. Tu vois mon inquiétude, Électre! Je hasardais anxieusement mon pied et ma pensée au-delà des limites d'Argos. O bonheur! On ne m'avait pas donné l'Orient : les pestes, les tremblements de terre, les famines de l'Orient, je les apprenais avec un sourire. Ma soif n'était pas de celles qui s'étanchent aux fleuves tièdes et géants coulant dans le désert entre des lèvres vertes, mais, j'en fis l'épreuve aussitôt, à la goutte unique d'une source de glace. Ni l'Afrique! Rien de l'Afrique n'est à moi. Les négresses peuvent piler le millet au seuil des cases, le jaguar enfoncer ses griffes dans le flanc du crocodile, pas un grain de leur bouillie, pas une goutte de leur sang n'est à moi. Et je suis aussi heureux des dons qu'on ne m'a pas faits que du don d'Argos. Dans un accès de largesse, Dieu ne m'a donné ni Athènes, ni Olympie, ni Mycènes. Quelle joie! On m'a donné la place aux bestiaux d'Argos et non les trésors de Corinthe, le nez court des filles d'Argos et non le nez de leur Pallas, le pruneau ridé d'Argos et non la figue d'or de Thèbes! Voilà ce qu'on m'a donné ce matin, à moi le jouisseur, le parasite, le fourbe : un pays où je me sens pur, fort, parfait, une patrie; et cette patrie dont j'étais prêt à fournir désormais l'esclave, dont tout à coup me voilà roi, je jure de vivre, de mourir, — entends-tu, juge, — mais de la sauver.

LE PRÉSIDENT

Je ne compte plus que sur vous, Electre!

ELECTRE

Compte sur moi. On n'a le droit de sauver une patrie qu'avec des mains pures.

LE MENDIANT

Le sacre purifie tout.

ELECTRE

Qui vous a sacré? A quoi se reconnaît votre sacre?

LE MENDIANT

Tu ne le devines pas? A ce qu'il vient le réclamer de toi! Pour la première fois il te voit dans ta vérité et dans ta puissance. S'il a de cette montagne foncé vers la ville, c'est que soudain l'idée lui est venue que dans ce cadeau d'Argos, Electre était comprise!

EGISTHE

Tout me sacrait sur mon passage, Electre! A travers mon galop, j'entendais les arbres, les enfants, les torrents me crier que j'étais roi. Mais il manquait l'huile sainte. Chaque cadeau de sacre m'était tendu par celui-là même qui le contenait le moins. Hier, j'étais lâche. Un lièvre, de ses oreilles tremblantes qui dépassaient le sillon, m'a tout à l'heure donné le courage. J'étais l'hypocrisie. Un renard a croisé le chemin, l'œil faux, et j'ai reçu la franchise. Et le couple inséparable des deux pies m'a donné l'indépendance, et la fourmilière la générosité. Si je me suis hâté vers toi, Electre, c'est que tu es le seul être qui puisse me donner sa propre essence.

ELECTRE

Laquelle?

EGISTHE

J'ai l'impression que c'est quelque chose comme le devoir.

ELECTRE

Mon devoir est sûrement l'ennemi mortel du vôtre. Vous n'épouserez pas Clytemnestre.

LE PRÉSIDENT

Vous ne l'épouserez pas!

CLYTEMNESTRE

Et pourquoi ne nous marierions-nous pas! Pourquoi sacrifierions-nous notre vie à des enfants ingrats! Oui, j'aime Egisthe. Depuis dix ans, j'aime Egisthe. Depuis dix ans je remets ce mariage par égard pour toi, Electre, et pour le souvenir de ton père. Tu nous y contrains. Merci... Pas sous l'oiseau. Cet oiseau m'agace. Mais dès que l'oiseau sera parti, je consens.

EGISTHE

Ne vous donnez pas tant de peine, reine. Je ne vous épouse pas pour accumuler de nouveaux mensonges. Je ne sais si je vous aime encore, et la ville entière doute que vous m'ayez jamais aimé. Depuis dix ans notre liaison se traîne entre l'indifférence et l'oubli. Mais ce mariage est la seule façon de rejeter un peu de vérité dans le mensonge passé, et il est la sauvegarde d'Argos. Il aura lieu dans l'heure même.

ELECTRE

Je ne crois pas qu'il aura lieu.

LE PRÉSIDENT

Bravo!

EGISTHE

Vas-tu enfin te taire! Qui es-tu, dans Argos? Mari trompé ou chef de justice?

LE PRÉSIDENT

Les deux, sans conteste.

EGISTHE

Alors choisis. Moi je n'ai pas le choix. Choisis entre le devoir et la prison. Le temps presse.

LE PRÉSIDENT

Vous m'avez pris Agathe!

EGISTHE

Je ne suis plus celui qui t'a pris Agathe.

LE PRÉSIDENT

Les maris trompés d'Argos, on ne vous les a pas donnés ce matin?

LE MENDIANT

Si. Mais il n'est plus celui qui les a trompés.

LE PRÉSIDENT

Je comprends. Je comprends que le nouveau roi oublie les outrages qu'il a infligés comme régent.

LE MENDIANT

Elle est toute rose, Agathe. Ce sont en tout cas des outrages qui rendent rose!

EGISTHE

Un roi te demande aujourd'hui pardon de l'insulte

que t'a faite hier un débauché. Cela peut te suffire. Écoute mes ordres. Hâte-toi vers ton tribunal. Juge les émeutiers et sois implacable.

AGATHE

Sois implacable. J'ai un petit amant parmi eux.

LE PRÉSIDENT

Toi, cesse de regarder cet oiseau, tu m'agaces!

AGATHE

Je regrette. C'est la seule chose au monde qui m'intéresse.

LE PRÉSIDENT

Que vas-tu faire, idiote, quand il aura disparu!

AGATHE

C'est ce que je me demande.

EGISTHE

Te moques-tu de moi, président! N'entends-tu pas ces clameurs?

LE PRÉSIDENT

Je ne partirai pas! J'aiderai Electre a empêcher votre mariage!

ELECTRE

Je n'ai plus besoin de votre aide, président. Votre rôle est fini depuis qu'Agathe m'a donné la clef de tout. Merci, Agathe!

CLYTEMNESTRE

Quelle clef?

EGISTHE

Venez, reine.

CLYTEMNESTRE

Quelle clef t'a-t-elle donnée? Quelle nouvelle querelle cherches-tu encore?

ELECTRE

Tu haïssais mon père! Ah! Que tout devient clair à la lampe d'Agathe.

CLYTEMNESTRE

Voilà qu'elle recommence, Egisthe! Protégez-moi.

ELECTRE

Comme tu l'enviais, Agathe, tout à l'heure. Pouvoir crier sa haine au mari que l'on hait, quelle volupté! Elle t'a été refusée, mère. Jamais de ta vie tu ne l'auras. Jusqu'au jour de sa mort il aura cru que tu l'admirais, que tu l'adorais! Souvent, en plein banquet, en pleine cérémonie, je vois ton visage qui fige, tes lèvres qui remuent sans paroles : c'est que tu es prise de l'envie de crier que tu le haïssais, n'est-ce pas, aux passants, aux convives, à la servante qui te verse le vin, au policier qui surveille les voleurs de vaisselle. Pauvre mère, tu n'as jamais pu aller seule dans la campagne et le crier aux roseaux. Tous les roseaux racontent que tu l'adores!

CLYTEMNESTRE

Ecoute, Electre!

ELECTRE

C'est cela, mère, crie-le-moi! S'il n'est plus là, je suis sa remplaçante. Crie-le-moi! Cela te sera aussi doux que le crier à lui-même. Tu ne vas quand même pas mourir sans crier que tu le haïssais!

CLYTEMNESTRE

Venez Egisthe... Tant pis pour l'oiseau!...

ELECTRE

Fais un pas, mère, et j'appelle.

EGISTHE

Qui peux-tu appeler, Electre! Est-il un être au monde pour nous enlever le droit de sauver notre ville?

ELECTRE

Notre ville d'hypocrisie, de corruption! Il en est des milliers. Le plus pur, le plus beau, le plus jeune est là, dans cette cour. Si Clytemnestre fait un pas, je l'appelle.

CLYTEMNESTRE

Venez, Egisthe!

ELECTRE

Oreste! Oreste!

Les Euménides surgissent et barrent la route à Electre.

PREMIÈRE EUMÉNIDE

Pauvre fille! Tu es simple! Ainsi tu imaginais que nous allions laisser Oreste errer autour de nous, une épée à la main. Les accidents arrivent trop vite dans ce palais. Nous l'avons enchaîné et bâillonné.

ELECTRE

Ce n'est pas vrai! Oreste! Oreste!

DEUXIÈME EUMÉNIDE

Toi aussi tu vas l'être.

EGISTHE

Electre, chère Electre, écoute-moi. Je veux te convaincre.

CLYTEMNESTRE

Quel temps précieux perdez-vous, Egisthe.

EGISTHE

Je viens! Electre, je sais que toi seule comprends qui je suis aujourd'hui. Aide-moi! Laisse-moi te dire pourquoi tu dois m'aider!

CLYTEMNESTRE

Mais enfin quelle est cette rage d'explications et de querelles. Il n'y a pas d'êtres humains, dans cette cour, mais des coqs. Va-t-il falloir nous expliquer jusqu'au sang, en nous crevant les yeux! Faut-il nous faire emporter tous trois de force, pour que nous arrivions à nous séparer!

LE PRÉSIDENT

Je crois que c'est le seul moyen, reine!

LE CAPITAINE

Je vous en supplie, Egisthe! Hâtez-vous.

LE MENDIANT

Est-ce que tu n'entends pas! Egisthe n'a plus qu'à régler pour les siècles l'affaire Agamemnon-Electre-Clytemnestre, et il vient.

LE CAPITAINE

Cinq minutes, et c'est trop tard.

LE MENDIANT

Chacun va y mettre du sien. Elle sera réglée dans cinq minutes.

EGISTHE

Emmenez cet homme.

Les gardes emmènent le président. Tous les assistants disparaissent. Silence.

EGISTHE

Alors, Electre, que veux-tu?

SCÈNE HUITIÈME

ELECTRE, CLYTEMNESTRE, EGISTHE, le mendiant.

ELECTRE

Ce n'est pas qu'elle est en retard, Egisthe. C'est qu'elle ne viendra pas.

EGISTHE

De qui parles-tu?

ELECTRE

De celle que vous attendez malgré vous. De la messagère des dieux. Si le règlement divin est un Egisthe absous par l'amour de sa ville, épousant Clytemnestre par mépris du mensonge et pour sauver bourgeoisie et châteaux, c'est le moment où elle devrait se poser entre vous deux, avec ses brevets et ses palmes. Elle ne viendra pas.

EGISTHE

Tu sais qu'elle est venue. Le rayon de ce matin sur ma tête, c'était elle.

ELECTRE

C'était un rayon du matin. Tout enfant teigneux que touche un rayon au matin se croit roi.

EGISTHE

Tu doutes de ma franchise!

ELECTRE

Hélas! Je n'en doute pas! A votre franchise je reconnais l'hypocrisie des dieux, leur malice. Ils ont changé le parasite en juste, l'adultère en mari, l'usurpateur en roi! Ils n'ont pas trouvé ma tâche assez pénible. De vous que je méprisais, voilà qu'ils font un bloc d'honneur. Mais il est une mue qui échoue dans leurs mains, celle qui change le criminel en innocent. Sur ce point, ils me cèdent.

EGISTHE

Je ne sais ce que tu veux dire.

ELECTRE

Vous le savez encore un tout petit peu. Prêtez l'oreille, au-dessous de votre grandeur d'âme. Vous entendrez.

EGISTHE

Qui me dira de quoi tu parles?

CLYTEMNESTRE

De qui peut-elle parler? De quoi a-t-elle jamais parlé

dans sa vie! De ce qu'elle ne connaît pas. D'un père qu'elle ne connaît même pas.

ELECTRE

Moi, je ne connais pas mon père?

CLYTEMNESTRE

D'un père que, depuis l'âge de cinq ans elle n'a ni vu ni touché!

ELECTRE

Moi, je n'ai pas touché mon père!

CLYTEMNESTRE

Tu as touché un cadavre, une glace qui avait été ton père. Ton père, non!

EGISTHE

Je vous en prie, Clytemnestre. Qu'allez-vous discuter en une heure pareille!

CLYTEMNESTRE

Chacun son tour de discuter. Cette fois c'est moi.

ELECTRE

Pour une fois tu as raison. C'est là la vraie discussion. De qui me viendrait ma force, de qui me viendrait ma vérité, si je n'avais pas touché mon père vivant?

CLYTEMNESTRE

Justement. Aussi tu divagues. Je me demande même si tu l'as jamais embrassé. Je veillais à ce qu'il ne lèche pas mes enfants.

ELECTRE

Moi, je n'ai pas embrassé mon père!

CLYTEMNESTRE

Le corps déjà froid de ton père, si tu veux. Ton père, non.

EGISTHE

Je vous en conjure!

ELECTRE

Ah! Je vois pourquoi tu étais si sûre en face de moi. Tu croyais que j'étais sans armes, tu croyais que je n'avais jamais touché mon père. Quelle erreur!

CLYTEMNESTRE

Tu mens.

ELECTRE

Le jour de son retour, sur l'escalier du palais, vous l'avez attendu tous deux une minute de trop, n'est-ce pas?

CLYTEMNESTRE

Comment le sais-tu, tu n'étais pas là?

ELECTRE

C'est moi qui l'ai retenu. J'étais dans ses bras.

EGISTHE

Ecoute-moi, Electre.

ELECTRE

J'avais attendu dans la foule, mère. Je me suis précipitée vers lui. Le cortège était pris de panique. On croyait à un attentat. Mais lui m'a devinée, il m'a souri. Il a compris que c'était l'attentat d'Electre. Père courageux, il s'est offert tout entier! Et je l'ai touché.

CLYTEMNESTRE

Tu as touché ses jambières, son cheval! Du cuir et du poil!

ELECTRE

Il est descendu, mère. Je l'ai touché aux mains avec ces doigts, je l'ai touché aux lèvres avec ces lèvres. J'ai touché une peau que toi tu n'as pas touchée, épurée de toi par dix ans d'absence.

EGISTHE

Il suffit! Elle te croit!

ELECTRE

De ma joue contre sa joue, j'ai appris la chaleur de mon père. Parfois, l'été, le monde entier a juste la tiédeur de mon père. J'en défaille. Et je l'ai étreint de ces bras. Je croyais prendre la mesure de mon amour, c'était aussi celle de ma vengeance. Puis il s'est dégagé; il est remonté à cheval, plus souple encore, plus étincelant. L'attentat d'Electre était fini! Il en était plus vivant, plus doré! Et j'ai couru vers le palais pour le revoir, mais déjà je ne courais plus vers lui, je courais vers vous, vers ses assassins.

EGISTHE

Reviens à toi, Electre.

ELECTRE

Je peux être essoufflée. J'arrive.

CLYTEMNESTRE

Débarrassez-nous de cette fille, Egisthe. Qu'on la redonne au jardinier! Qu'on la jette près de son frère!

EGISTHE

Arrête, Electre! Ainsi donc, au moment même où je te vois, où je t'aime, où je suis tout ce qui peut s'entendre avec toi, le mépris des injures, le courage, le désintéressement, tu persistes à engager la lutte?

ELECTRE

Je n'ai que ce moment.

EGISTHE

Tu reconnais qu'Argos est en péril?

ELECTRE

Nous différons sur les périls.

EGISTHE

Tu reconnais que si j'épouse Clytemnestre, la ville se tait, les Atrides se sauvent. Sinon, c'est l'émeute, c'est l'incendie?

ELECTRE

C'est très possible.

EGISTHE

Tu reconnais que seul je puis défendre Argos contre ces Corinthiens qui arrivent déjà aux portes de la ville? Sinon, c'est le pillage, le massacre?

ELECTRE

Oui. Vous seriez vainqueur.

EGISTHE

Et tu t'obstines! Et tu me ruines dans ma tâche! Et tu sacrifies à je ne sais quel songe ta famille, ta patrie?

ELECTRE

Vous vous moquez de moi, Egisthe! Vous qui prétendez me connaître, vous me croyez de la race à laquelle on peut dire : Si tu mens, et laisses mentir, tu auras une patrie prospère. Si tu caches les crimes, ta patrie sera victorieuse? Quelle est cette pauvre patrie que vous glissez tout à coup entre la vérité et nous?

EGISTHE

La tienne, Argos.

ELECTRE

Vous tombez mal, Egisthe. A moi aussi, ce matin, à l'heure où l'on vous donnait Argos, il m'a été fait un don. Je l'attendais, il m'était promis, mais je comprenais mal encore ce qu'il devait être. Déjà on m'avait donné mille cadeaux, qui me semblaient dépareillés, dont je ne parvenais pas à démêler le cousinage, mais cette nuit près d'Oreste endormi, j'ai vu que c'était le même don. On m'avait donné le dos d'un hâleur, tirant sur sa péniche, on m'avait donné le sourire d'une laveuse, soudain figée dans son travail, les yeux sur la rivière. On m'avait donné un gros petit enfant tout nu, traversant en courant la rue sous les cris de sa mère et des voisines; et le cri de l'oiseau pris que l'on relâche; et celui du maçon que je vis tomber un jour de l'échafaudage, les jambes en équerre. On m'avait donné la plante d'eau qui résiste contre le courant, qui lutte, qui succombe, et le jeune homme malade qui tousse, qui sourit et qui tousse, et les joues de ma servante, quand elles se gonflent tous les matins d'hiver pour aviver la cendre de mon feu, au moment où elles s'empourprent. Et j'ai cru moi aussi que l'on me donnait Argos, tout ce qui dans Argos était modeste, tendre, et beau, et misérable; mais tout à l'heure, j'ai su que non. J'ai su que l'on m'a donné toutes les pommettes des servantes, qu'elles soufflent sur le bois ou le charbon, et tous les yeux des laveuses, qu'ils soient ronds ou en amandes, et tous les oiseaux volant, et tous les maçons tombant, et toutes les plantes d'eau qui s'abandonnent et se reprennent dans les ruisseaux ou dans les mers. Argos n'était qu'un point dans cet univers, ma patrie une bourgade dans cette patrie. Tous les rayons et tous les éclats dans les visages mélancoliques, toutes les rides et les ombres dans les visages joyeux, tous les désirs et les désespoirs dans les visages indifférents, c'est cela mon nouveau pays. Et c'est ce matin, à l'aube, quand on vous donnait Argos et ses frontières étroites, que je l'ai vue aussi immense et que j'ai entendu son nom, un nom qui ne se prononce pas, mais qui est à la fois la tendresse et la justice.

CLYTEMNESTRE

Voilà la devise d'Electre : la tendresse! Cela suffit! Partons!

EGISTHE

Et cette justice qui te fait brûler ta ville, condamner ta race, tu oses dire qu'elle est la justice des dieux?

ELECTRE

Je m'en garde. Dans ce pays qui est le mien on ne s'en remet pas aux dieux du soin de la justice. Les dieux ne sont que des artistes. Une belle lueur sur un incendie, un beau gazon sur un champ de bataille, voilà pour eux la justice. Un splendide repentir sur un crime, voilà le verdict que les dieux avaient rendu dans votre cas. Je ne l'accepte pas.

EGISTHE

La justice d'Electre consiste à ressasser toute faute, à rendre tout acte irréparable?

ELECTRE

Oh non! Il est des années où le gel est la justice pour les arbres, et d'autres l'injustice. Il est des forçats que l'on aime, des assassins que l'on caresse. Mais quand le crime porte atteinte à la dignité humaine, infeste un peuple, pourrit sa loyauté, il n'est pas de pardon.

EGISTHE

Sais-tu même ce qu'est un peuple, Electre!

ELECTRE

Quand vous voyez un immense visage emplir l'horizon et vous regarder bien en face, d'yeux intrépides et purs, c'est cela un peuple.

EGISTHE

Tu parles en jeune fille, non en roi. C'est un immense corps à régir, à nourrir.

ELECTRE

Je parle en femme. C'est un regard étincelant, à filtrer, à dorer. Mais il n'a qu'un phosphore, la vérité. C'est ce qu'il y a de si beau, quand vous pensez aux vrais peuples du monde, ces énormes prunelles de vérité.

EGISTHE

Il est des vérités qui peuvent tuer un peuple, Electre.

ELECTRE

Il est des regards de peuple mort qui pour toujours étincellent. Plût au Ciel que ce fût le sort d'Argos! Mais, depuis la mort de mon père, depuis que le bonheur de notre ville est fondé sur l'injustice et le forfait, depuis que chacun, par lâcheté, s'y est fait

le complice du meurtre et du mensonge, elle peut
chanter, danser et vaincre, le ciel peut éclater sur elle
c'est une cave où les yeux sont inutiles. Les enfant
qui naissent sucent le sein en aveugles.

EGISTHE

Un scandale ne peut que l'achever.

ELECTRE

C'est possible. Mais je ne veux plus voir ce regar
terne et veule dans son œil.

EGISTHE

Cela va coûter des milliers d'yeux glacés, de pru
nelles éteintes.

ELECTRE

C'est le prix courant. Ce n'est pas trop cher.

EGISTHE

Il me faut cette journée. Donne-la-moi. Ta vérité, s
elle l'est, trouvera toujours le moyen d'éclater un jou
mieux fait pour elle.

ELECTRE

L'émeute est le jour fait pour elle.

EGISTHE

Je t'en supplie. Attends demain.

ELECTRE

Non. C'est aujourd'hui son jour. J'ai déjà trop v
de vérités se flétrir parce qu'elles ont tardé une se
conde. Je les connais, les jeunes filles qui ont tard
une seconde à dire non à ce qui était laid, non
ce qui était vil, et qui n'ont plus su leur répondr

ensuite que par oui et par oui. C'est là ce qui est si beau et si dur dans la vérité, elle est éternelle mais ce n'est qu'un éclair.

EGISTHE

J'ai à sauver la ville, la Grèce.

ELECTRE

C'est un petit devoir. Je sauve leur regard... Vous l'avez assassiné, n'est-ce pas?

CLYTEMNESTRE

Qu'oses-tu dire, fille! Tout le monde sait que ton père a glissé sur le dallage!

ELECTRE

Le monde le sait parce que vous l'avez raconté.

CLYTEMNESTRE

Il a glissé, folle, puisqu'il est tombé.

ELECTRE

Il n'a pas glissé. Pour une raison évidente, éclatante. Parce que mon père ne glissait jamais!

CLYTEMNESTRE

Qu'en sais-tu?

ELECTRE

Depuis huit ans j'interroge les écuyers, les servantes, ceux qui l'escortaient les jours de pluie, de grêle. Jamais il n'a glissé.

CLYTEMNESTRE

La guerre avait passé sur cette légèreté.

ELECTRE

J'ai questionné ses compagnons de guerre. Il a franchi le Scamandre sans glisser. Il a pris d'assaut les remparts sans glisser. Il ne glissait ni dans l'eau ni dans le sang.

CLYTEMNESTRE

Il se hâtait ce jour là. Tu l'avais mis en retard.

ELECTRE

C'est moi la coupable, n'est-ce pas? Voilà la vérité, d'après Clytemnestre. C'est votre avis aussi, Egisthe? Le meurtrier d'Agamemnon, c'est Electre!

CLYTEMNESTRE

Les servantes avaient trop savonné les dalles. Je le sais. J'ai manqué glisser moi aussi.

ELECTRE

Ah! tu étais dans la piscine, mère? Qui t'a retenue?

CLYTEMNESTRE

Pourquoi n'y aurais-je pas été?

ELECTRE

Avec Egisthe, sans doute?

CLYTEMNESTRE

Avec Egisthe. Et nous n'étions pas seuls. Il y avait Léon, mon conseiller. N'est-ce pas, Egisthe?

ELECTRE

Léon qui est mort le lendemain?

CLYTEMNESTRE

Est-il mort le lendemain?

ELECTRE

Oui. Léon aussi a glissé. Il était étendu dans son lit, et au matin on l'a trouvé mort. Il a trouvé le moyen de glisser dans la mort, en plein sommeil, sans bouger, sans glisser. Tu l'avais fait tuer, n'est-ce pas?

CLYTEMNESTRE

Mais défendez-moi donc, Egisthe! Je vous crie au secours!

ELECTRE

Il ne peut rien pour toi. Tu en es au point où l'on doit se défendre soi-même.

CLYTEMNESTRE

O mon Dieu, en être amenée là. Une mère, une reine!

ELECTRE

Où là? Apprends-nous comment s'appelle cela, où tu es amenée?

CLYTEMNESTRE

Par cette fille sans cœur, sans joie! Ah! heureusement que ma petite Chrysothémis aime les fleurs!

ELECTRE

Je ne les aime pas, les fleurs?

CLYTEMNESTRE

En être là! Par ce couloir imbécile qu'est la vie, en être arrivée là! Moi qui jeune fille n'aimais que le calme, que soigner mes bêtes, rire aux repas, coudre... J'étais si douce, Egisthe! Je vous jure que j'étais la plus douce. Il y a encore dans ma ville natale des vieillards pour qui la douceur, c'est Clytemnestre!

ELECTRE

S'ils meurent aujourd'hui ils n'auront pas à changer leur symbole. S'ils meurent ce matin.

CLYTEMNESTRE

En être amenée là! Quelle injustice! Je passais mes journées dans la prairie, Egisthe, derrière le palais. Il y avait tant de fleurs que pour les cueillir je ne me courbais pas, je m'asseyais. Mon chien se couchait à mes pieds, celui qui aboya quand Agamemnon vint me prendre. Je le taquinais avec les fleurs. Il les mangeait pour me plaire. Si je l'avais, seulement! Partout ailleurs, que mon mari ait été perse, égyptien, je serais maintenant bonne, insouciante, gaie! J'avais de la voix, jeune, j'élevais des oiseaux! Je serais une reine égyptienne insouciante qui chante, j'aurais une volière égyptienne. Et nous en sommes là! Qu'est-ce que cette famille, qu'est-ce que ces murs ont fait de nous!

ELECTRE

Des assassins... Ce sont de mauvais murs!

UN MESSAGER

Seigneur, ils ont forcé le passage! La poterne cède.

ELECTRE

Sois contente. Ils s'écroulent.

EGISTHE

Electre, écoute mon dernier mot. Je passe sur tout, tes chimères, tes injures. Mais ne vois-tu pas que ta patrie agonise!

ELECTRE

Je n'aime pas les fleurs! Tu crois que cela se cueille assis, les fleurs pour la tombe d'un père?

CLYTEMNESTRE

Mais qu'il revienne donc, après tout, ce père! Qu'il cesse de faire le mort! Quel chantage que cette absence et ce silence! Qu'il revienne, avec sa pompe, sa vanité, avec sa barbe. Elle a dû pousser, dans la tombe. C'est encore préférable!

ELECTRE

Que dis-tu?

EGISTHE

Electre, je m'engage à ce que demain, une fois Argos sauvée, les coupables, s'il y a des coupables, disparaissent, et pour toujours. Mais ne t'obstine pas! Tu es douce, Electre. Au fond de toi-même, tu es douce. Ecoute-toi. La ville va périr.

ELECTRE

Qu'elle périsse. Je vois déjà mon amour pour Argos incendié et vaincu! Non! Ma mère a commencé à insulter mon père, qu'elle achève!

CLYTEMNESTRE

Quelle est cette histoire de coupables! Que racontez-vous là, Egisthe!

ELECTRE

Il vient de dire en un mot tout ce que tu nies!

CLYTEMNESTRE

Qu'est-ce que je nie?

ELECTRE

Il vient de dire que tu as laissé tomber Oreste, que j'aime les fleurs, que mon père n'a pas glissé!

CLYTEMNESTRE

Il a glissé! Je jure qu'il a glissé. S'il y a au monde une vérité, qu'un éclair nous le montre sur le ciel! Tu le verras chavirant, avec tout son bagage!

EGISTHE

Electre, tu es en mon pouvoir. Ton frère aussi. Je peux vous tuer. Hier je vous aurais tués. Je m'engage au contraire, dès que l'ennemi sera repoussé, à quitter le trône, à rétablir Oreste dans ses droits!

ELECTRE

Là n'est plus la question, Egisthe. Si les dieux pour une fois changent de méthode, s'ils vous rendent sage et juste pour vous perdre, cela les regarde. La question est de savoir si elle osera nous dire pourquoi elle haïssait mon père!

CLYTEMNESTRE

Ah, tu veux le savoir?

ELECTRE

Mais tu n'oseras pas!

EGISTHE

Electre, demain, au pied de l'autel où nous fêterons la victoire, le coupable sera là, car il n'y a qu'un coupable, en vêtement de parricide. Il avouera publiquement le crime. Il fixera lui-même son châtiment. Mais laisse-moi sauver la ville.

ELECTRE

Vous vous êtes sauvé vis-à-vis de vous-même, aujourd'hui, Egisthe, et vis-à-vis de moi. C'est suffisant. Non je veux qu'elle achève!

CLYTEMNESTRE

Ah! tu veux que j'achève!

ELECTRE

Je t'en défie!

UN MESSAGER

Ils entrent dans les cours intérieures, Egisthe!

EGISTHE

Partons, reine!

CLYTEMNESTRE

Oui, je le haïssais. Oui, tu vas savoir enfin ce qu'il était, ce père admirable! Oui, après vingt ans, je vais m'offrir la joie que s'est offerte Agathe!... Une femme est à tout le monde. Il y a tout juste au monde un homme auquel elle ne soit pas. Le seul homme auquel je n'étais pas, c'était le roi des rois, le père des pères, c'était lui! Du jour où il est venu m'arracher à ma maison, avec sa barbe bouclée, de cette main dont il relevait toujours le petit doigt, je l'ai haï. Il le relevait pour boire, il le relevait pour conduire, le cheval semballât-il, et quand il tenait son sceptre,... et quand il me tenait moi-même, je ne sentais sur mon dos que la pression de quatre doigts : j'en étais folle, et quand dans l'aube il livra à la mort ta sœur Iphigénie, horreur, je voyais aux deux mains le petit doigt se détacher sur le soleil! Le roi des rois, quelle dérision! Il était pompeux, indécis, niais. C'était le fat des fats, le crédule des crédules. Le roi des rois n'a jamais été que ce petit doigt et cette barbe que rien ne rendait lisse. Inutile, l'eau du bain, sous laquelle je plongeais sa tête, inutile la nuit de faux amour, où je la tirais et l'emmêlais, inutile cet orage de Delphes sous lequel les cheveux des danseuses n'étaient plus que des crins; de l'eau, du lit, de l'averse, du temps, elle ressortait en or, avec ses annelages. Et il me faisait signe d'approcher, de cette main à petit doigt, et je venais en souriant. Pourquoi?... Et il me disait de baiser cette bouche au milieu de cette toison, et j'accourais pour la baiser. Et je la baisais. Pourquoi?... Et quand au réveil, je le trompais, comme Agathe, avec le bois de mon lit, un bois plus relevé, évidemment, plus royal, de l'amboine, et qu'il me disait de lui parler, et que je le savais vaniteux, vide aussi, banal, je lui disais qu'il était la modestie, l'étrangeté, aussi, la splendeur. Pourquoi?... Et s'il insistait tant soit peu, bégayant, lamentable, je lui jurais qu'il était un dieu. Roi des rois, la seule excuse de ce surnom est qu'il justifie la haine de la haine. Sais-tu ce que j'ai fait, le jour de son départ, Electre; son navire encore en vue? J'ai fait immoler le bélier le plus bouclé, le plus indéfrisable, et je me suis glissée vers minuit, dans la salle du trône, toute seule, pour prendre le sceptre à pleines mains! Maintenant tu sais tout. Tu voulais un hymne à la vérité : voilà le plus beau!

ELECTRE

O mon père, pardon!

EGISTHE

Venez, reine.

CLYTEMNESTRE

Qu'on saisisse d'abord cette fille. Qu'on l'enchaîne.

ELECTRE

Me pardonneras-tu jamais de l'avoir entendue, ô mon père! Est-ce qu'il ne faut pas qu'elle meure, Egisthe?

EGISTHE

Adieu, Electre.

ELECTRE

Tuez-la, Egisthe. Et je vous pardonne.

CLYTEMNESTRE

Ne la laissez pas libre, Egisthe. Ils vont vous poignarder dans le dos.

EGISTHE

C'est ce que nous allons voir... Laissez Electre... Déliez Oreste.

Egisthe et Clytemnestre sortent.

ELECTRE

L'oiseau descend, mendiant, l'oiseau descend.

LE MENDIANT

Tiens, c'est un vautour.

SCÈNE NEUVIÈME

ELECTRE, la femme NARSES, le mendiant, puis ORESTE

LE MENDIANT

Te voilà, femme Narsès?

LA FEMME NARSÈS

Nous arrivons, tous les mendiants, pour sauver

Electre et son frère, les infirmes, les aveugles, les boiteux.

LE MENDIANT

La Justice, quoi.

LA FEMME NARSÈS

Ils sont là, à délier Oreste.

Une foule de mendiants est entrée peu à peu.

LE MENDIANT

Comment ils l'on tué, femme Narsès, écoute. Voici comme tout s'est passé et jamais je n'invente. C'est la reine qui a eu l'idée de savonner les marches qui descendent à la piscine. Ils ont fait cela à eux deux. Alors que toutes les ménagères pour le retour d'Agamemnon savonnaient leur seuil, la reine et son amant savonnaient le seuil de sa mort. On peut imaginer quelles mains propres ils avaient, ils lui ont offertes quand Agamemnon est entré. Et alors comme il tendait les bras vers elle, il a glissé, ton père, Electre. Tu as raison, excepté sur ce point. Il a glissé jusqu'au milieu des dalles, et le fracas de la chute, à cause de la cuirasse et du casque était bien celui d'un roi qui tombe, car tout était de l'or. Et c'est elle qui s'est précipitée, pour le relever, croyait-il, mais qui l'a maintenu. Il ne comprenait pas. Il ne comprenait pas sa femme chérie qui le maintenait à terre, il se demandait si c'était dans un élan d'amour, mais alors pourquoi cet Egisthe restait-il? Il était indiscret, ce jeune Egisthe, et maladroit. On verrait pour son avancement. Il peut être vexé, le maître du monde, qui tombe en rentrant chez lui, qui a pris Troie, qui sort de passer la grande revue navale, et l'équestre, et la pédestre, et qui vous dégringole sur le dos, avec son bruit de vaisselle, même si sa barbe reste intacte et bouclée, devant sa femme amoureuse et le jeune porte-enseigne. D'autant plus que cela pouvait être un mauvais présage. Cette chute pouvait vouloir dire qu'il mourrait dans un an, dans cinq ans. Mais, ce qu'il trouvait singulier, c'est que son épouse bien-aimée l'eût saisi aux poignets et pesât de tout son poids pour le clouer sur le dos, comme la pêcheuse maintient les grosses tortues échouées, celles qui viennent par le détroit. Elle avait tort. Elle n'en était pas plus belle, ainsi penchée, avec le sang à la tête, et le cou qui prenait ses plis. Ce n'était pas comme le jeune Egisthe, qui essayait de lui tirer son épée, pour lui éviter du mal évidemment, et qui, à chaque seconde, devenait beau, de plus en plus beau. Et, ce qui était extraordinaire, c'est que tous deux étaient muets. Lui leur parlait : Chère femme, disait-il, comme tu es forte! Jeune homme, disait-il, prends l'épée par la garde! Et eux étaient muets; on avait oublié de lui dire cela pendant ses dix ans d'absence, la reine était une muette, les écuyers étaient des muets. Muets ils étaient comme ceux qui préparent une malle quand le départ presse. Ils avaient quelque chose à faire, mais vite, avant que personne pût entrer. Quel bagage avaient-ils à faire si vite? Et soudain le coup de pied donné par Egisthe au casque lui apprit tout, comme au mourant le coup de pied donné à son chien. Et il cria : Femme, lâche-moi! Femme, que fais-tu là! Elle se gardait de dire ce qu'elle faisait. Elle ne pouvait lui répondre : je te tue, je t'assassine. Mais elle se le disait tout bas à elle-même; je le tue parce qu'il n'y a pas un seul poil gris dans cette barbe, je l'assassine parce que c'est le seul moyen d'assassiner ce petit doigt. Des dents, elle avait délié le lacet de la cuirasse, et les lèvres d'or déjà s'écartaient, et Egisthe — Ah! voilà pourquoi il était beau, Egisthe! Cette beauté, Agamemnon l'avait vue envahir Achille tuant Hector, Ulysse tuant Dolon —, approchait, l'épée renversée. Alors le roi des rois donna de grands coups de pied dans le dos de Clytemnestre, à chacun elle sursautait toute, la tête muette sursautait et se crispait, et il cria, et alors pour couvrir la voix, Egisthe poussait de grands éclats de rire, d'un visage rigide. Et il plongea l'épée. Et le roi des rois n'était pas ce bloc d'airain et de fer qu'il imaginait, c'était une douce chair, facile à transpercer comme l'agneau; il y alla trop fort, l'épée entailla la dalle. Les assassins ont tort de blesser le marbre, il a sa rancune : c'est à cette entaille que moi j'ai deviné le crime. Alors il cessa de lutter; entre cette femme de plus en plus laide et cet homme de plus en plus beau, il se laissa aller; la mort a ceci de bon qu'on peut se confier à elle; c'était sa seule amie dans ce guet-apens, la mort; elle avait d'ailleurs un air de famille, un air qu'il reconnaissait, et il appela ses enfants, le garçon d'abord, Oreste, pour le remercier de le venger un jour, puis la fille, Electre, pour la remercier de prêter ainsi pour une minute son visage et ses mains à la mort. Et Clytemnestre ne le lâchait pas, une mousse à ses lèvres, et Agamemnon voulait bien mourir, mais pas que cette femme crachât sur son visage, sur sa barbe. Et elle ne cracha pas, tout occupée à tourner autour du corps, à cause du sang qu'elle évitait aux sandales, elle tournait dans sa robe rouge, et lui déjà agonisait, et il croyait voir tourner autour de lui le soleil. Puis vint l'ombre. C'est que soudain, chacun d'eux par un bras, l'avaient retourné contre le sol. A la main droite quatre doigts déjà ne bougeaient plus. Et puis, comme Egisthe avait retiré l'épée sans y penser, ils le retournèrent à nouveau, et lui la remit bien doucement, bien posément dans la plaie. Et ce jeune Egisthe éprouvait de la gratitude pour ce mort qui la seconde fois se laissait tuer si doucement, si doucement. On en tuerait des douzaines, de rois des rois, si c'était cela le meurtre. Mais la haine de Clytemnestre grandissait pour celui qui s'était débattu si bêtement, si férocement, car elle savait que chaque nuit elle verrait dans un cauchemar ce massacre. Et c'est bien ce qui arriva. Et c'est bien là le compte de son crime. Voilà sept ans qu'elle l'a tué : elle l'a tué trois mille fois.

Oreste est entré pendant le récit.

LA FEMME NARSÈS

Voilà le jeune homme! Qu'il est beau!

LE MENDIANT

De la beauté du jeune Egisthe.

ORESTE

Où sont-ils, Electre?

ELECTRE

Oreste chéri!

LA FEMME NARSÈS

Dans la cour du sud.

ORESTE

A tout à l'heure, Electre, et pour toujours!

ELECTRE

Va, mon amour.

ORESTE

Pourquoi t'interrompre, mendiant? Continue. Raconte-leur la mort de Clytemnestre et d'Egisthe!

Il sort l'épée en main.

LA FEMME NARSÈS

Raconte, mendiant.

LE MENDIANT

Deux minutes. Laisse-lui le temps d'arriver.

ELECTRE

Il a son épée?

LA FEMME NARSÈS

Oui, ma fille.

LE MENDIANT

Tu n'es pas folle d'appeler la princesse ta fille?

LA FEMME NARSÈS

Je l'appelle ma fille. Je ne lui dis pas qu'elle est ma fille. Je l'ai pourtant vu souvent, son père. Oh, mon Dieu, le bel homme!

ELECTRE

Il avait une barbe, n'est-ce pas?

LA FEMME NARSÈS

Pas une barbe. Un soleil. Un soleil annelé, ondulé. Un soleil d'où venait de se retirer la mer. Il y passait sa main. La plus belle main que j'ai vue au monde...

ELECTRE

Appelle-moi ta fille, femme Narsès, je suis ta fille... On a crié!

LA FEMME NARSÈS

Non, ma fille!

ELECTRE

Tu es sûre qu'il avait son épée, qu'il ne s'est pas trouvé devant eux sans épée?

LA FEMME NARSÈS

Tu l'as bien vu passer! Il en avait mille! Calme-toi. Calme-toi.

ELECTRE

Qu'elle était longue la minute où tu as attendu au seuil de la piscine, ô ma mère!

LA FEMME NARSÈS

Si tu racontais, toi! Tout sera fini que nous ne saurons rien!

LE MENDIANT

Une minute, il les cherche. Voilà! Il les rejoint!

LA FEMME NARSÈS

Oh! Moi, je peux attendre. C'est doux de la toucher, cette petite Electre. Je n'ai que des garçons, des bandits. Heureuses les mères qui ont des filles!

ELECTRE

Oui... Heureuses... On a crié, cette fois!

LA FEMME NARSÈS

Oui, ma fille.

LE MENDIANT

Alors voici la fin. La femme Narsès et les mendiants délièrent Oreste. Il se précipita à travers la cour. Il ne toucha même pas, il n'embrassa même pas Electre. Il a eu tort. Il ne la touchera jamais plus. Et il atteignit les assassins comme ils parlementaient avec l'émeute, de la niche en marbre. Et comme Egisthe penché disait aux meneurs que tout allait bien, et que tout désormais irait bien, il entendit crier dans son dos une bête qu'on saignait. Et ce n'était pas une bête qui criait, c'était Clytemnestre. Mais on la saignait. Son fils la saignait. Il avait frappé au hasard sur le couple, en fermant les yeux. Mais tout est sensible et mortel dans une mère, même indigne. Et elle n'appelait ni Electre, ni Oreste, mais sa dernière fille Chrysothémis, si bien qu'Oreste avait l'impression que c'était une autre mère, une mère innocente qu'il tuait. Et elle se cramponnait au bras droit d'Egisthe. Elle avait raison, c'était sa seule chance désormais dans la vie de se tenir un peu debout. Mais elle empêchait Egisthe de dégainer. Il la secouait pour reprendre son bras, rien à faire. Et elle était trop lourde aussi pour servir de bouclier. Et il y avait encore cet oiseau qui le giflait de ses ailes et l'attaquait du bec. Alors il lutta. Du seul bras gauche sans armes, une reine morte au bras droit avec colliers et pendentifs, désespéré de mourir en criminel quand tout de lui était devenu pur et sacré, de combattre pour un crime qui n'était plus le sien et, dans tant de loyauté et d'innocence, de se trouver l'infâme en face de ce parricide, il lutta de sa main que l'épée découpait peu à peu, mais le lacet de sa cuirasse se prit dans une agrafe de Clytemnestre, et elle s'ouvrit. Alors il ne résista plus, il secouait seulement son bras droit, et l'on sentait que s'il voulait maintenant se débarrasser de la reine, ce n'était plus pour combattre seul, mais pour mourir seul, pour être couché dans la mort loin de Clytemnestre. Et il n'y est pas parvenu. Et il y a pour l'éternité un couple Clytemnestre-Egisthe. Mais il est mort en criant un nom que je ne dirai pas.

LA VOIX D'EGISTHE, au-dehors.

Electre...

LE MENDIANT

J'ai raconté trop vite. Il me rattrape.

SCÈNE DIXIÈME

ELECTRE, le mendiant, la femme NARSES, les Euménides. Elles ont juste l'âge et la taille d'Electre.

UN SERVITEUR

Fuyez, vous autres, le palais brûle!

PREMIÈRE EUMÉNIDE

C'est la lueur qui manquait à Electre. Avec le jour et la vérité, l'incendie lui en fait trois.

DEUXIÈME EUMÉNIDE

Te voilà satisfaite, Electre! La ville meurt!

ELECTRE

Me voilà satisfaite. Depuis une minute, je sais qu'elle renaîtra.

TROISIÈME EUMÉNIDE

Ils renaîtront aussi, ceux qui s'égorgent dans les rues? Les Corinthiens ont donné l'assaut, et massacrent.

ELECTRE

S'ils sont innocents, ils renaîtront.

PREMIÈRE EUMÉNIDE

Voilà où t'a mené l'orgueil, Electre! Tu n'es plus rien! Tu n'as plus rien!

ELECTRE

J'ai ma conscience, j'ai Oreste, j'ai la justice, j'ai tout.

DEUXIÈME EUMÉNIDE

Ta conscience! Tu vas l'écouter, ta conscience, dans les petits matins qui se préparent. Sept ans tu n'as pu dormir à cause d'un crime que d'autres avaient commis. Désormais, c'est toi la coupable.

ELECTRE

J'ai Oreste. J'ai la justice. J'ai tout.

TROISIÈME EUMÉNIDE

Oreste! Plus jamais tu ne reverras Oreste. Nous te quittons pour le cerner. Nous prenons ton âge et ta forme pour le poursuivre. Adieu. Nous ne le lâcherons plus, jusqu'à ce qu'il délire et se tue, maudissant sa sœur.

ELECTRE

J'ai la justice. J'ai tout.

LA FEMME NARSÈS

Que disent-elles? Elles sont méchantes! Où en sommes-nous, ma pauvre Electre, où en sommes-nous!

ELECTRE

Où nous en sommes?

LA FEMME NARSÈS

Oui, explique! Je ne saisis jamais bien vite. Je sens évidemment qu'il se passe quelque chose, mais je me rends mal compte. Comment cela s'appelle-t-il, quand le jour se lève, comme aujourd'hui, et que tout est gâché, que tout est saccagé, et que l'air pourtant se respire, et qu'on a tout perdu, que la ville brûle, que les innocents s'entretuent, mais que les coupables agonisent, dans un coin du jour qui se lève?

ELECTRE

Demande au mendiant. Il le sait.

LE MENDIANT

Cela a un très beau nom, femme Narsès. Cela s'appelle l'aurore.

IMPRIMÉ EN FRANCE PAR BRODARD ET TAUPIN
6, place d'Alleray - Paris.
Usine de La Flèche, le 05-11-1971.
1861-5 - Dépôt légal n° 846, 4e trimestre 1971.
1er Dépôt : 3e trimestre 1963.
LE LIVRE DE POCHE - 22, avenue Pierre 1er de Serbie - Paris.
30 - 11 - 1030 - 10

Le Livre de Poche classique

des textes intégraux et fidèles *Conçues pour le grand public comme pour l'étudiant et le lettré, nos éditions sont établies par les spécialistes les plus qualifiés et font état des derniers travaux de la critique. C'est donc un texte sûr que nous vous offrons, tantôt dans une leçon originale, tantôt reprise des collections les plus prestigieuses : la Pléiade, ou Guillaume Budé.*

à la portée de tous *Nos éditions sont enrichies d'une préface originale d'un écrivain célèbre, de notices, de notes et d'une biographie de l'auteur.*

Akutagawa.
Rashomon et Autres Contes, 2561**.
Andersen.
Contes (t. 1), 1114**.
Contes (t. 2), 1382**.
Aristophane.
Comédies (t. 1), 1544**.
Comédies (t. 2), 2018**.
Balzac (H. de).
La Duchesse de Langeais suivi de *La Fille aux Yeux d'or*, 356*.
La Rabouilleuse, 543**.
Une Ténébreuse Affaire, 611*.
Les Chouans, 705**.
Le Père Goriot, 757**.
Illusions perdues, 862***.
La Cousine Bette, 952**.
Le Cousin Pons, 989**.
Splendeurs et misères des Courtisanes, 1085***.
Le Colonel Chabert, 1140*.
La Vieille Fille suivi de *Le Cabinet des Antiques*, 1269**.
Eugénie Grandet, 1414*.
Le Lys dans la Vallée, 1461**.
Le Curé de village, 1563**.
César Birotteau suivi de *La Maison Nucingen*, 1605**
Béatrix, 1680**.
La Peau de Chagrin, 1701**.
Le Médecin de campagne, 1997**.
Pierrette suivi de *Le Curé de Tours*, 2110**.
La Recherche de l'Absolu suivi de *La Messe de l'Athée*, 2163**.
La Femme de trente ans, 2201**.
Modeste Mignon, 2238**.
Honorine suivi de *Albert Savarus* et de *La Fausse Maîtresse*, 2339**.
Louis Lambert suivi de *Les Proscrits*, et de *Jésus-Christ en Flandre* 2374**.
Les Paysans, 2420**.
Ursule Mirouët, 2449**.
Gobseck suivi de *Maître Cornélius* et de *Facino Cane*, 2490*.
Mémoires de deux jeunes mariées, 2545**.
Un début dans la vie suivi de *Un Homme d'affaires*, 2617**.
Barbey d'Aurevilly.
Les Diaboliques, 622**.
Le Chevalier des Touches, 2262*
Une Vieille Maîtresse, 2214**.
Baudelaire.
Les Fleurs du Mal, 677*.
Le Spleen de Paris, 1179*.
Les Paradis artificiels, 1326*.
Beaumarchais.
Théâtre, 1721**.
Brantôme.
Les Dames galantes, 2507***.
Brasillach.
Anthologie de la Poésie grecque, 1517**.
Casanova.
Mémoires (t. 1), 2228**.
Mémoires (t. 2), 2237**.

Hoffmann.
Contes, 2435**.
Homère.
Odyssée, 602**.
Iliade, 1063***.
Hugo
Les Misérables (t. 1), 964**.
Les Misérables (t. 2), 966**.
Les Misérables (t. 3), 968**.
Les Châtiments, 1378**.
Les Contemplations, 1444**.
Les Travailleurs de la Mer, 1560***.
Notre-Dame de Paris, 1698***.
Les Orientales, 1969*.
Quatre-vingt-treize (t. 1), 2213**.
Quatre-vingt-treize (t. 2), 2266**.
La Légende des Siècles (t. 1). 2329**.
La Légende des Siècles (t. 2), 2330**.
Hernani suivi de *Ruy Blas*, 2434***.
Odes et Ballades, 2595**.
Labiche.
Théâtre (t. 1), 1219**.
Théâtre (t. 2), 1628**.
La Bruyère.
Les Caractères, 1478**.
Laclos (Choderlos de).
Les Liaisons dangereuses, 354**.
La Fayette (Mme de).
La Princesse de Clèves, 374*.
La Fontaine.
Fables, 1198**.
Contes et Nouvelles, 1336**.
Lamartine.
Méditations suivi de *Nouvelles Méditations*, 2537**.
La Rochefoucauld.
Maximes et Réflexions, 1530*.
Lautréamont.
Les Chants de Maldoror, 1117**.
Machiavel.
Le Prince, 879*.
Marivaux.
Théâtre (t. 1), 1970**.
Théâtre (t. 2), 2120**.
Mérimée.
NOUVELLES COMPLÈTES :
Colomba et *10 Autres Nouvelles*, (t. 1) 1217**.
Carmen et *13 Autres Nouvelles*, (t. 2) 1480**.
Molière.
Théâtre (t. 1), 1056**.
Théâtre (t. 2), 1094**.
Théâtre (t. 3), 1138**.
Théâtre (t. 4), 1180**.
Montaigne.
Essais (t. 1), 1393**.
Essais (t. 2), 1395**.
Essais (t. 3), 1397**.
Montesquieu.
Lettres Persanes, 1665**.
Musset (Alfred de).
Théâtre (t. 1), 1304**.
Théâtre (t. 2), 1380**.
Théâtre (t. 3), 1431**.
Poésies, 1982**.
Nerval (Gérard de).
Les Filles du Feu suivi de *Aurélia*, 690*.
Poésies, 1226*.
Nietzsche.
Ainsi parlait Zarathoustra, 987**
Ovide.
L'Art d'aimer, 1005*.
Pascal.
Pensées, 823**.
Les Provinciales, 1651**.
Pétrone.
Le Satiricon, 589*.
Platon.
Le Banquet, 2186*.
Poe.
Aventures d'Arthur Gordon Pym, 484*.
Histoires extraordinaires, 604**.
Nouvelles Histoires extraordinaires, 1055*.
Histoires grotesques et sérieuses, 2173**.
Pouchkine.
La Dame de Pique, 577*.
Récits, 1957**.
Prévost (Abbé).
Manon Lescaut, 460*.
Rabelais.
Pantagruel, 1240**.
Gargantua, 1589**.
Le Tiers Livre, 2017**.
Le Quart Livre, 2247***.
Le Cinquième Livre, 2489***.
Racine.
Théâtre (t. 1), 1068**.
Théâtre (t. 2), 1157**.
Retz (Cardinal de).
Mémoires (t. 1), 1585**.
Mémoires (t. 2), 1587**.
Rimbaud.
Poésies complètes, 498*.

Crime et Châtiment (t. 2), (D).
Les Frères Karamazov (t. 1), (D).
Les Frères Karamazov (t. 2) (D).
Souvenirs de la Maison des Morts (D).
L'Adolescent (t. 1), (D).
L'Adolescent (t. 2), (D).
Humiliés et Offensés (t. 1), (D).
Humiliés et Offensés (t. 2), (D).

Eschyle.
Tragédies (D).

Flaubert.
Madame Bovary (D).
L'Éducation sentimentale (D).
Trois Contes (S).

Gœthe.
Les Souffrances du Jeune Werther (S).

Gogol.
Les Ames mortes (D).

Hoffmann.
Contes (D).

Homère.
Odyssée (D).

Hugo.
Les Misérables (t. 1), (D).
Les Misérables (t. 2), (D).
Les Misérables (t. 3), (D).
Les Orientales (D).
Quatre-vingt-treize, (t. 1), (D).
Quatre-vingt-treize, (t. 2), (D).
La Légende des Siècles (t. 1), (D).
La Légende des Siècles (t. 2), (D).
Les Contemplations (D).
Odes et Ballades (D).

La Bruyère.
Les Caractères (D).

Laclos (Choderlos de).
Les Liaisons dangereuses (D).

La Fayette (Mme de).
La Princesse de Clèves (S).

La Fontaine.
Fables (D).
Contes (D).

La Rochefoucauld.
Maximes (S).

Lautréamont.
Les Chants de Maldoror (D).

Machiavel.
Le Prince (S).

Marivaux.
Théâtre (t. 1), (D).

Mérimée.
NOUVELLES COMPLÈTES :
Colomba et *10 Autres Nouvelles* (D).
Carmen et *13 Autres Nouvelles* (D).

Molière.
Théâtre (t. 1), (D).
Théâtre (t. 2), (D).
Théâtre (t. 3), (D).
Théâtre (t. 4), (D).

Montaigne.
Essais (t. 1), (D).
Essais (t. 2), (D).
Essais (t. 3), (D).

Montesquieu.
Lettres persanes (D).

Musset.
Théâtre (t. 1), (D).
Théâtre (t. 2), (D).
Théâtre (t. 3), (D).
Poésies (D).

Nerval.
Poésies (S).
Les Filles du Feu suivi de *Aurélia* (S).

Nietzsche.
Ainsi parlait Zarathoustra (D).

Ovide.
L'Art d'aimer (S).

Pascal.
Pensées (D).
Les Provinciales (D).

Pétrone.
Le Satiricon (S).

Platon.
Le Banquet (S).

Poe (Edgar).
Histoires extraordinaires (D).
Nouvelles Histoires extraordinaires (S).

Pouchkine.
Récits (D).
La Dame de Pique (S).

Prévost (Abbé).
Manon Lescaut (S).

Rabelais.
Pantagruel (D).
Le Tiers Livre (D).
Gargantua (D).

Rimbaud.
Poésies complètes (S).

Ronsard.
Les Amours (D).

Rousseau.
Les Rêveries du Promeneur solitaire (S).
Théâtre (t. 2), (D).
Confessions (t. 1), (D).
Confessions (t. 2), (D).

Shakespeare.
Hamlet - Othello - Macbeth (D).

Sophocle.
Tragédies (D).
Stendhal.
La Chartreuse de Parme (D).
Le Rouge et le Noir (D).
Nouvelles (D).
Lamiel suivi de *Armance* (D).
Stevenson.
L'Ile au Trésor (S).
Suétone.
Vies des douze Césars (D).
Tacite.
Histoires (D).
Tchékhov.
Oncle Vania suivi de *Les Trois Sœurs* (S).
Ivanov et *Autres Pièces* (S).
Ce Fou de Platonov et *Autres Pièces* (D).
La Cerisaie (S).
Tolstoï.
Anna Karénine (t. 1), (D).
Anna Karénine (t. 2), (D).
Enfance et Adolescence (S).
La Sonate à Kreutzer suivi de *La mort d'Ivan Ilitch* (S).
Les Cosaques (S).
Nouvelles (D).
Résurrection (t. 1), (D), (t. 2), (D).
Tourgueniev.
Premier Amour (S).
Twain (Mark).
Contes choisis (D).
Vallès.
L'Enfant (D).
Verlaine.
Jadis et Naguère. Parallèlement (S).
Poèmes saturniens suivi de *Fêtes galantes* (S).
La Bonne Chanson (S).
Villon.
Poésies complètes (S).
Voltaire.
Romans (D).
X X X
Tristan et Iseut (S).

Le Livre de Poche exploration

Blond (Georges).
La Grande Aventure des Baleines, 545**.
Bombard (Alain).
Naufragé volontaire, 368*.
Carson (Rachel).
Le Printemps silencieux, 2378**.
Cousteau (J.-Y.) et Dumas (F.).
Le Monde du Silence, 404**.
Franco (Jean).
Makalu, 2020*.
Gheerbrant (Alain).
L'Expédition Orénoque-Amazone, 339**.
Herzog (Maurice).
Annapurna premier 8000, 1550**.
Heyerdahl (Thor).
L'Expédition du Kon-Tiki, 319**.
Hunt (John).
Victoire sur l'Everest, 447**.
Mazière (Francis).
Fantastique île de Pâques, 2479*.
Merrien (Jean).
Les Navigateurs solitaires, 2438**.
Monfreid (Henry de).
Les Secrets de la mer Rouge, 474**.
La Croisière du Hachich, 834**.
t'Serstevens.
Le Livre de Marco Polo, 642**.
Tazieff (Haroun).
Histoires de Volcans, 1187*.
Quand la terre tremble, 2177**.
Victor (Paul-Emile).
Boréal, 659**.

Le Livre de Poche encyclopédique

Boucé (E.).
Dictionnaire Anglais-Français - Français-Anglais, 376.**
Bardèche (M.) et Brasillach (R.).
Histoire du Cinéma (t. 1), 1204.**
Histoire du Cinéma (t. 2), 1221.**
Vuillermoz (Emile).
Histoire de la Musique, 393.**
Carrel (Alexis).
L'Homme, cet Inconnu, 445.**
Ranald (Professeur Josef).
Les Mains parlent, 1802*.
Pomerand (Gabriel).
Le petit philosophe de poche, 751.**
Kinney (J.R.) et Honeycutt A.
Votre Chien, 348*.
Muller (J.E.).
L'Art moderne, 1053*.
Rousseau (Pierre).
L'Astronomie, 644.**
Lyon (Josette).
Beauté-Service, 1803.**
Carnegie (Dale).
Comment se faire des Amis, 508*.
Vincent (R.) et Mucchielli (R.).
Comment connaître votre Enfant, 552*.

MOTS CROISÉS

(Max) Favalelli.
Mots Croisés (1er recueil), 1054*.
Mots Croisés (2e recueil), 1223*.
Mots Croisés (3e recueil), 1463*.
Mots Croisés (4e recueil), 1622*.
Tristan Bernard.
Mots croisés, 1522*.
Roger La Ferté.
Mots croisés, 2465*.
Les mots croisés du « Canard Enchaîné », 1972*.
Les mots croisés du « Monde », 2135*.
Les mots croisés du « Figaro », 2216*.
Les Mots croisés de « France-Soir ». 2439*.

Le Livre de Poche historique

(Histoire, biographies)

Aron (Robert).
Histoire de Vichy (t. 1), 1633**.
Histoire de Vichy (t. 2), 1635**.
Hist. de la Libération (t. 1), 2112**.
Hist. de la Libération (t. 2), 2113**.

Azeau (Henri).
Le Piège de Suez, 2245***.

Bainville (Jacques).
Napoléon, 427**.
Histoire de France, 513**.

Bellonci (Maria).
Lucrèce Borgia, 679**.

Benoist-Méchin.
Ibn-Séoud, 890**.
Mustapha Kémal, 1136**.

Bertrand (Louis).
Louis XIV, 728**.

Blond (Georges).
Le Survivant du Pacifique, 799**.
Le Débarquement, 1246**.
L'Agonie de l'Allemagne, 1482**.
Convois vers l'U.R.S.S., 1669*.

Chaplin (Charles).
Histoire de ma vie, 2000***.

Chastenet (Jacques).
Winston Churchill, 2176***.

Daniel-Rops.
Histoire sainte, 624**.
Jésus en son Temps, 626**.
L'Église des Apôtres et des Martyrs, 606***.

Dayan (Moshé).
Journal de la campagne du Sinaï - 1956, 2320**.

Delarue (Jacques).
Histoire de la Gestapo, 2392***.

Deutscher (Isaac).
Staline, 1284***.

rlanger (Philippe).
Diane de Poitiers, 342**.
Le Régent, 1985**.

aulle (Général de).
Mémoires de Guerre : L'Appel (1940-1942), (t. 1), 389**.
Mémoires de Guerre : L'Unité (1942-1944), (t. 2), 391**.
Mémoires de Guerre : Le Salut (1944-1946), (t. 3), 612**.

axotte (Pierre).
La Révolution française, 461**.
Le Siècle de Louis XV, 702**.

impel (Erich).
Ma Vie d'espion, 2236**.

Grousset (René).
L'Épopée des Croisades, 883**.

Hough (Richard).
La Mutinerie du Cuirassé Potemkine, 2204*.

Kessel (Joseph).
Mermoz, 1001**.

Lapierre (D.) et Collins (L.).
Paris brûle-t-il? 2358***.

Lenotre (G.). *Napoléon : Croquis de l'Epopée*, 1307*.

Madariaga (Salvador de).
Hernan Cortès, 1184***.
Christophe Colomb, 2451***.

Maurois (André).
Histoire d'Angleterre, 455**.
Les Trois Dumas, 628**.
La Vie de Disraeli, 2165**.

Montanelli (Indro).
Histoire de Rome, 1161**.

Ollivier (Albert).
Saint-Just, 2021***.

Pernoud (Régine).
Vie et Mort de Jeanne d'Arc, 1801**

Perruchot (Henri).
La Vie de Cézanne, 487**.
La Vie de Gauguin, 1072**.
La Vie de Van Gogh, 457**.
La Vie de Toulouse-Lautrec, 565**.

Pourtalès (Guy de).
Chopin ou le Poète, 979*.

Rémy.
Réseaux d'ombres, 2597**.

Renan (Ernest).
Vie de Jésus, 1548**.

Ryan (Cornelius).
Le Jour le plus long, 1074**.

Shirer (William L.).
Le Troisième Reich (t. 1), 1592***.
Le Troisième Reich (t. 2), 1608***.

Thomas (Hugues).
Histoire de la guerre d'Espagne (t. 1), 2191**, (t. 2), 2192**

Toland (John).
Bastogne, 1450**.

Trotsky.
Ma Vie, 1726***.

Wertheimer (Oscar de).
Cléopâtre, 1159**.

Zweig (Stefan).
Marie Stuart, 337**.
Marie-Antoinette, 386**.
Fouché, 525**.

Le Livre de Poche pratique

Voici, sous une présentation claire et aérée, une série nouvelle de "guides de poche", d'un genre très nouveau.
Chaque volume est une véritable encyclopédie, à la fois complète e d'accès pratique.
Ces ouvrages sont imprimés sur beau papier, parfois illustrés, parfoi même en couleurs, si la clarté du texte le demande.

Pernoud (Laurence).
J'attends un enfant, 1938*.**
La Villehuchet (M.-F. de).
Guide du tricot, 1939.**
Guide de Coupe et Couture, 2265.**
Mathiot (Ginette).
La Cuisine pour tous, 2290*.**
La Pâtisserie pour tous, 2302.**
Cuisine de tous les pays, 1940.**
Gardel (Janine).
Le Bricolage dans votre appartement, 2101.**
Chappat (D.).
Dictionnaire du Nettoyage, 1944*.
Éclairage et Décoration, 2242*.
150 bonnes idées pour votre maison, 2306*.
Dumay (Raymond).
Guide du jardin, 2138.**
Les Jardins d'agrément, 2253.**
Méric (Philippe de).
Le Yoga pour chacun, 2514.**
Merrien (Jean).
Naviguez ! sans voile, 2276.**
Naviguez ! à la voile, 2277.**
Pierre-Meslier (Claude).
Tout à crédit, 2255*.
Duborgel (Michel).
La pêche en mer et au bord de la mer, 2254.**
La pêche et les poissons de rivière, 2303.**
Marsily (Marianne).
1000 idées de rangement, 2452.**

Massot (Cl.) et Séguéla (J.).
Guide des Sports d'hiver, 2296***
Monge (Jacqueline) et Villiers (Hélène).
Le bateau de plaisance, 2515**
Nadaud (Jérome).
La Chasse, 2305*.**
Périer (Anne-Marie).
Belles, Belles, Belles, 2410.**
Duvernay (J.-M.) et Perrichon (A.)
Fleurs, Fruits, Légumes, 2526***
XXX
Dix minutes de Gymnastique par jour, 2500*.
XXX
Larousse de Poche, 2288.**
XXX
Dictionnaires Larousse :
Français-Anglais,
Anglais-Français, 2221.**
Français-Espagnol,
Espagnol-Français, 2219.**
Français-Allemand,
Allemand-Français, 2220.**
Français-Italien,
Italien-Français, 2218.**
XXX
Atlas de Poche, 2222*.**
Georgin (René).
Guide de Langue Française, 2551.**
Berman-Savio-Marcheteau.
Méthode 90 :
L'Anglais en 90 leçons, 2297**

Le Livre de Poche illustré

Série Art *dirigée par André Fermigier*

urckhardt (Jacob).
a Civilisation de la Renaissance
ı Italie (tome 1) 2001; (tome 2)
002; (tome 3) 2003.
achin (Françoise).
auguin, 2362.
lark (Kenneth).
éonard de Vinci, 2094.
e Nu (tome 1) 2453; (tome 2) 2454.
lwards (I.E.S.).
es Pyramides d'Egypte, 2095.
ure (Elie).
istoire de l'Art (5 volumes) :
L'Art antique (tome 1) 1928.
L'Art médiéval (tome 2) 1929.
L'Art renaissant (tome 3) 1930.
L'Art moderne (tome 4) 1931.
L'Art moderne (tome 5) 1932.
Esprit des Formes (2 volumes)
me 1) 1933; (tome 2) 1934.
rmigier (André).
casso, 2669.
cillon (Henri).
Art d'Occident (2 volumes) :
Le Moyen Age roman (tome 1)
22.
Le Moyen Age gothique (tome 2)
23.
edländer (M.J.).
l'art et du connaisseur, 2598.
mentin (Eugène).
s Maîtres d'autrefois, 1927.
lding (John).
Cubisme, 2223.

Gombrich (E.H.).
L'Art et son histoire (2 volumes) :
(tome 1) 1986; (tome 2) 1987.
Guinard (Paul).
Les Peintres espagnols, 2096.
Laude (Jean).
Les Arts de l'Afrique Noire, 1943.
Levey (Michaël).
La Peinture à Venise au XVIIIe siècle, 2097.
Mâle (Emile).
L'Art Religieux du XIIIe siècle (tome 1) 2407; (tome 2) 2408.
Passeron (René).
Histoire de la Peinture surrealiste, 2261.
Read (Herbert).
Histoire de la Peinture moderne, 1926.
Rewald (John).
Histoire de l'Impressionnisme (2 volumes) : (tome 1) 1924; (tome 2) 1925.
Richards (J.M.).
L'Architecture moderne, 2466.
Sullivan (Michaël).
Introduction à l'art chinois, 2343.
Teyssèdre (Bernard).
L'Art au siècle de Louis XIV, 2098.
Vallier (Dora).
L'Art abstrait, 2100.
Wolfflin (H.).
Renaissance et Baroque, 2099.

Série Histoire *dirigée par Gilbert Guilleminault*

Le roman vrai de la IIIe République

Jeunesse de Marianne.
lude à la Belle Époque.
Belle Époque.
ant 14.
France de la Madelon.
Les Années folles.
Les Années difficiles.
Du premier Jazz au dernier Tsar.
De Charlot à Hitler.
La Drôle de Paix.

Série Planète

Alleau (René). Les Sociétés secrètes.